CONTRACASTRO

Rafael Alcides

Publicado por Eriginal Books LLC
Miami, Florida
www.eriginalbooks.com

Copyright © 1964, Rafael Alcides
Copyright © 2018, Diseño de portada: Miguel Coyula
Copyright © 2018, De esta edición: Eriginal Books

Edición: Regina Coyula

ISBN 978-1-61370-108-9

A mis hijos Josefina, Gitana, Daniel, Rubén y Rafael.
A la memoria de mi hermano Rubén,
y a mi mujer Regina Coyula.

HISTORIA DE ESTA NOVELA

Esta novela primero la escribí al revés. En aquella versión, Tom, de veinte años, y Carla de dieciséis, viven una enloquecida historia de amor en el Miami municipal y bastante poco amable de los últimos meses de 1960 y comienzos de 1961.

En abril, Tom regresa a Cuba como parte de la fuerza invasora derrotada en las arenas las Playa Girón. Mientras extenuado y sin municiones huye por la ciénaga, pensando que de caer prisionero lo fusilarían, evoca sus días de penar y gloria con Carla. Después, no se vuelve a saber de él.

En esta segunda versión la vieja historia de amor se sostiene con muy leves agregados. No así el contexto, esta vez evocado desde el día de hoy por un Tom ya anciano en un mega Miami que lo ha tenido entre sus forjadores.

Por corresponderse aquella primera versión con mi óptica política de entonces, la novela no pasaba de ser otro de los tantos textos panfletarios de la época en contra del capitalismo y de la burguesía.

Aun así, por su título asustó a los funcionarios de la Casa de las Américas cuando la vieron aparecer en el Concurso Literario de 1965. El jurado Mario Vargas Llosa, que la llevaba para Premio, logró obtenerle una

7

Mención de Honor. La Casa declaró desierto el premio de Novela y al anunciar la mención, no lo hizo por su nombre, sino por el de Brigada 2506, lema con el que *Contracastro* había concursado. Al año siguiente, cuando ya este título era público como resultado de la desmentida que del otro hiciera en una entrevista tramada con el periodista Luis Agüero para la entonces muy leída revista *Bohemia*, y no se cayó el mundo, la Casa comenzó a asediarme para publicarla. Prometían respetar el título. Pero en un año suelen pasar muchas cosas, y ya por esos tiempos yo tenía o empezaba a tener la sospecha de haber escrito un libro al revés, y lo dejé por ahí metido en un escaparate con otros borradores (hoy borrados por el tiempo) con la idea de ponerlo un día al derecho.

Ese día es hoy.

R. A.

Después de tantos años y de tantas cosas como han sucedido en esta tierra de sorpresas, he vuelto, Carla, a repensar la agenda de aquel joven fugitivo que creía haber llegado a Miami por unos días. Acompáñame. Quiero recorrer de nuevo esta ciudad cuando todavía no era nuestra ciudad, volver a andar contigo este suelo donde hubimos de arder a fuego vivo, olvidados de Dios según parecía pero en realidad arrojados aquí por Dios para lo que entonces sólo Él conocía.

Retrocede. Vuelve a mirar con tus ojos lila comidos por una eterna melancolía, tus ojos llenos de una triste humedad con mucho de rencor y de miedo, tan asustados que hasta al susto y a la esperanza de volver un día a confiar en la Esperanza habrían asustado. Tírate por delante la trenza y déjala bambolear al comienzo de los muslos como un péndulo implacable por encima del tiempo. Marchemos de nuevo tomados del brazo en medio de lo desconocido como correspondía a nuestro papel en este extraño juego que nos involucra a todos y que solo a medio camino, o al final, logra a veces tener sentido. La Providencia, que juega con los seres humanos como si fuéramos piezas de un ajedrez prefijado, hace que un navegante astuto y soñador que cree haber salido en busca de un camino diferente para comerciar con especias, termine dando con un mundo que no estaba en los mapas de su tiempo. Por razones menos voluntarias que las de aquel navegante, no otro ha sido nuestro caso en esta gran aventura. El caso de nosotros los cubanos de Miami, fundadores de este nuevo mundo, de esta megalópolis que ya empieza a topar el cielo y no caber en los horizontes.

Mas, no nos adelantemos. Son aquellos dos jovencitos recién llegados los que me interesan. Por ridículo que ahora parezca, préstale atención a él, Carla, con su desenfrenado lirismo municipal que hoy tanto me avergonzaría de no ser porque como en alguna carta de las que he separado para leerte, "ahora le envidio hasta lo que de él me avergüenza".

Tú bañada por el sol vertical de la hora, tú ahí a diez metros, con tu trenza tirada por delante, bamboleándose, pasando junto a una peletería cuyos cristales te duplican. Tú acercándote, real, de veras, y él sin poderlo creer todavía. Justo como lo había imaginado mientras los guardafronteras seguían disparando aunque ya estábamos fuera de las aguas territoriales. Justo como lo había imaginado. Qué susto, Señor. ¿Fingir que no te ha visto y observar con el rabito del ojo por si le miraras? No lo harás, ni él te dará la oportunidad de que lo ignores. Seguirá de largo. Oportunidades no faltarán, alguien que los presente; incluso me sentía feliz de ser el emigrado. No es que pretenda olvidar lo que no tiene olvido, pero en La Habana, nuestro amor, Carla, habría seguido siendo el sueño de lo que nunca será. Y a mis efectos, de no haber existido ese amor, el mundo, la memoria secreta del universo, se habría perdido algo muy grande. Y yo habría sido, en espíritu, el hombre más vacío de Tierra, el menos nadie.

Y cuando ya no te lo esperas, la oyes allá atrás:

—¡Tom...!

—¡Carla!

Es la primera vez que nos hablamos sin insultarnos, cosa que tan a menudo nos sucedía en La Habana. ¿Recuerdas cuando le prendí fuego a tu casa, aprovechando el hueco en el seto de crotos que la separaba de la mía? Tenía entonces once años y tú siete. Pues lo mío empezó más temprano que lo de Dante con Beatriz. Sin embargo, ahora no sé qué decir. Y siguen las manos, la sangre golpeando en la cabeza; el corazón como un niño saltando suiza en el pecho. Me siento más frío que el hielo. Ni siquiera me atrevo a sostener en alto la cabeza. Eres incluso más bella que en la foto del tocador de tu cuarto, aquel enloquecedor lugar con olor a violetas a donde algunas veces el hijo de Candelaria, una de las criadas de tu casa, me dejó entrar por una ventana a cambio de regalos. Te sacas los espejuelos oscuros. Ni antes ni después tuvo nadie en esta Tierra unos ojos tan lilas, un pelo tan negro ni una piel tan suave, tan tibia, tan eléctrica. Te habías quedado con mi mano en tus manos, la cartera enorme como si te ladeara el cuerpo. Te recuestas a la pared. La gente cruza, los automóviles. ¿Cuánto tiempo ha pasado? No te veo, pero tus ojos me andan por el cuerpo. Los siento por el pelo, por la ropa. Comprendo de sopetón, pero no comprendo. Estas cosas se sospechan, pero no se saben. Di algo. ¿Qué voy a decir? Si lo dijeras tú... Ciérrate la camisa, podría salírsete el corazón.

Cómo hablar. Deja al corazón retumbar. Ella lo ha de oír. Pero pierdes la delantera. Vuelves a estar en desventaja. Siempre lo estuviste. Pero hoy te ha hablado. Le tienes todavía la mano entre tus manos. ¿Qué esperas? No sé. Después de tanto rato, parece que ha pasado un año. Pensará que soy tímido, bobo. Sin embargo, en mis ojos ha de haber algo que ella comprenda. Algo ha de oírseme en la cara.

–Si te saludé fue por desafiarte.

–¿Por desafiarme?

–Como fingías no haberme visto…

Es tu misma voz rota, violeta de siempre, pero hoy suena gris. Y yo sé que es violeta, Pienso en una campana, recuerdo las postales de Navidad. No sé, pienso en tantas cosas. Pero no se piensa. Se siente. Te ocurren las más extrañas sensaciones. La imaginación se pone alegre; el corazón se vuelve loco, quiere saltar, correr, tocar un timbre, escaparse. ¡Ah!, cuantas travesuras. Y todo es azul. Las imágenes brincan, te halan el pelo. Y el humo, la penumbra, la humedad. El estruendo. El pasado te rodea. Vuelves a ser el niño que nunca fuiste. El corazón sigue latiendo. Te vas poniendo tierna y yo me hundo más en mí mismo. Me pierdo. Me has hablado. ¡Señor!, me estás hablando.

–Carla...

No sé cuánto tiempo llevamos caminando. Bayfront Park será para siempre nuestro Parque de las Palomas. Ahora el tiempo no existe. Es la hora de los grandes sucesos. Las horas son minutos y los minutos eternidades. Pueden transcurrir cien mil años de un golpe o tener el mundo la edad de un minuto. Es ir entre nubes, es saberlo todo, es ser el dueño del universo. El sol, este sol bastante más pálido que el de Allá a esta hora, se hunde a lo lejos. Contigo a mi lado me siento llenar el espacio, ocupar hasta el último centímetro de la galaxia. Es en tardes como estas que nunca te mueres.

Me imagino que hemos estado hablando pero no lo sé. Estás tan cerca y tan distante y revuelta dentro de mí. Desde el principio la soledad que nos rodeaba se ha disuelto, el mundo se ha ido a otro mundo y nos hemos quedado aquí tú y yo nada más, dueños del tiempo, del sobresalto, abolida la palabra, contándonos cosas con los ojos, con el pecho reventando. Nunca te creí así, ni se me ocurrió que fueses tan húmeda, tan tierna. Por fin el sol desaparece, el aire se pone frío. Aquí hemos estado desde que Dios hizo el mundo. Va a ser de noche y entonces nos veremos mejor.

–Tengo ganas de llorar.

–Yo también.

–Ya no eres como antes.

–Tú tampoco.

–Eras muy grosero.

–Pero te amaba.

–No lo parecía.

–Tenía miedo.

Las manos se juntan. La ciudad se estremece. El planeta. No es posible que el mundo haya permanecido ajeno a esta felicidad. La vida es buena, la gente también. El pasado se borra. Las viejas heridas desaparecen y hay lágrimas en tus ojos.

–La alegría es triste.

–¿Te pasa?

Las manos se juntan más, más, más, después comienzan a andar por tu pelo. Tu cabeza cae en mi hombro y mis brazos te rodean. La vida toda está amarrada a mi pecho. Incendien el mundo si quieren, yo te tengo. Nadie podrá hacerte daño, niña mía. Dios duerme entre mis brazos.

–Vamos a casa. Te invito a comer.

–Otro día.

Las frentes se juntan, las narices.

–Por lo menos, vamos a saludar.

–Otro día.

–Hoy.

–Otro día.

Hay estrellas en el cielo y me sorprendo. ¿Cuánto tiempo llevaba sin ver una estrella? Deberíamos los humanos volver los ojos al cielo con más frecuencia. Se las ve tan en paz, tan calladitas, tan desde siempre, que dan ganas de volverse estrella. ¿Cuánto tiempo llevarán ahí ardiendo, cediendo lugar sin que nadie se dé cuenta, existiendo, testificando? En todo caso esta noche mi amor tiene la edad de las estrellas. Ha sido algo que nos ocurrió ya antes de volver a nacer.

–Vamos a tu casa –cedes al fin–, quizá sea lo mejor.

–¿Por qué lo dices de ese modo?

No contestas. Levantas la cara y dos estrellas arden en tus ojos. Dos estrellas lilas. ¡Qué resplandor! Te has vuelto estrella, me he vuelto estrella. Somos estrellas.

La calle es una furiosa estrella tendida sobre el pavimento. Papá. Mamá. La casa. Los platos son de estrellas y estrellas en las fuentes. Y en las paredes. Oh Dios, el amor es una estrella… Me doy cuenta. Comprendo, todos estamos cortados. Nadie sabe por dónde empezar. Cualquier cosa que se diga pudiera herir. ¡Es tan delicado un encuentro en estos días! Nadie en casa ha querido preguntar nada. "¿Y por allá?", había dicho mamá cuando llegamos. ¿Por allá? ¿Por dónde? Eso es estúpido, preguntar por preguntar, cumplir un compromiso molesto, llenar un trámite de rigor. "Ahí", dijiste. Fue como si dijeran: "Te acompaño el sentimiento" y tú contestaras: "Gracias". Luego, el silencio. Justamente como si hubieses caído de la luna, del cosmos, y fueses un pedazo de mineral desarraigado, una cosa aparecida por generación espontánea: un boniato, una yuca. ¿Y los recuerdos? ¿Las cosas de otros días? Este olvido puede herir más que la peor de las preguntas. Puede la delicadeza durante algún tiempo no perdonar una indiscreción, pero el corazón jamás perdona un olvido. Es necesario que te sientas bien, que te encuentres como en tu vieja casa de La Habana, que ni siquiera aquel seto de entonces nos separe. Todo ahora es muy embarazoso. Comemos sin hambre. Lentamente las estrellas han estado apagándose. Me imagino que estás a punto de salir huyendo por el techo. Esto es intolerable. Papá, al final, ha estado hablando tonterías y se ha callado. Ni él mismo se hizo caso. Mamá dice que por qué tan poco, que te sirvas más.

–¿Está a tu gusto de sal, hija mía?

¡Basta, mamá, no seas idiota! Le hago señas a papá. Casi se atraganta. Brutal y mirándome por encima de los espejuelos, dice que ese huevo en polvo que da el Refugio es una basura. No, eso no, eso no; otra cosa, una pregunta, viejo, le digo con el pie por debajo de la mesa.

–¿Y tus padres, Carla?

Parece que has querido decir "Ahí", pero se te olvidó decirlo o lo dijiste escasamente. Los hombros no te dieron para más. Vuelvo a tocar a papá por debajo de la mesa. Esto hay que continuarlo. Te hemos herido demasiado. Estas son las cosas que se preguntan al principio. Me vuelvo hacia mamá, para embullarla:

–En algún hospital, ¿no?, o de asociado –dice entonces papá.

–Claro, un especialista como él –se mete mamá virándome los ojos para que me calle.

–No –dices con la cabeza más bien.

Empiezas a darle vueltas en el plato a los pedacitos de vegetales.

–Dice que no –le digo a papá.

–Oiga eso –comenta él.

–¿Y eso? –te digo.

–Allá le habían dicho que sí... pero no.

17

La mesa tiembla, las sillas se sumergen con nosotros dentro. Cada cual se mantiene muy ocupado con su pedacito de pan, con su cuchillo, con su vaso de agua. Cambiar de tema no estaría bien; seguir adelante, menos. Las penas ajenas escuchadas con interés terminan costando dinero, según la regla de oro de papá. Pero tú no has venido a pedir nada. Es inútil, sin embargo. Papá ha vuelto a cerrar una ventana que todos habíamos visto cerrada. En este instante estará imaginando la manera de escabullirse. De un momento a otro mirará sorprendido el reloj, y levantándose. "Caramba –dirá–, se me ha hecho tarde. Ustedes perdonen". Se limpiará la garganta: "Excúsenme, se trata de una cita importante. Ray y las organizaciones..., en fin". Te dará unas palmaditas en el hombro y agregará: "Quedas en tu casa, hijita", y se irá a su cuarto a prender un tabaco y a esperar que te vayas. Mamá inventará un dolor de cabeza, cualquier cosa: saldrá a buscar unas sales minerales y no regresará hasta el momento de acompañarnos a la puerta. Esta otra "¡Idiota!" qué podría decir mi hermana Laurita con su cara idiota. Deja meterme. Además, no es de creer que ustedes estén tan desvalidos. Como nosotros, han de estar guardando la forma.

–Pero ustedes lograron salvar algo. Tenían dinero acá...

–¡Maldita sal empegotada! –corta mamá dando con el salero sobre la mesa–.¡Qué manera de humedecerse!

El salerazo es el santo y seña con que empieza la representación en días en que se invita a algún amigo acabado de llegar de Cuba y se sirve comida del Refugio.

Se ha quedado mirando el salero de trasluz. Pero no, mamá comprende que eso hoy sería una torpeza; no llamé por teléfono, no avisé antes de venir y tú has visto demasiadas cosas en la mesa. De modo que baja la mano y no dice: "Menos mal que es regalada". Papá simula problemas con un fideo. Tú te quedas con el tenedor a medio llevar a la boca. A nadie una comida le había costado tan cara.

–Tenían algún dinero –insisto.

–No –dices. Y vuelcas la comida en el plato. Vuelves a ordenar los pedacitos de vegetales.

Comprendo que debo desnudarte en el acto, hacer que papá y mamá cambien de actitud. O entramos en confianza ahora o no te atreverás a volver a casa.

–Entonces ¿de qué viven? ¡Con lo del Refugio no será!

Apartas el plato, nos vas mirando por separado, pero al cabo bajas la cabeza. Papá se limpia la garganta, se palpa los bolsillos superiores de la pijama y me patea por debajo de la mesa. Mamá se sacude alguna pajita imaginaria en el escote. Laurita oye desde la otra vida. Hace rato sonrió porque lo consideró un deber, y se le ha olvidado retirar la sonrisa. Tú continúas estudiando los pedacitos de vegetales, corriéndolos en el plato, alejándolos, acercándolos, haciéndolos bailar. Insisto, ¿con lo del Refugio?

–Sí y no.

Dices que a veces tu padre encuentra algo por ahí; que otras veces ejerce, cuando se puede; que eso aquí es muy arriesgado.

–La policía vigila.

–¿Y cuando no ejerce en qué trabaja? –pregunta Laurita, que por fin se ha dado cuenta de que algo debería haber dicho.

–¿Quieren café? –pregunta mamá.

¡Jesús...! Se diría que ha pasado un millón de años, que no nos hemos visto nunca ni nos importamos.

–Sí, ¿en qué trabaja? –te apremio.

–En cualquier cosa; lo que encuentre –dices ya con una voz apenas audible, y vemos caer en tu plato un par de lágrimas–. Hasta la semana pasada estuvo trabajando en el restaurante de Barrios; ya llevaba ahí cuarenta y tres días pero como ahora lo cerraron...

Mamá se horroriza:

–¿Barrios? ¿El del escándalo en los periódicos?

–¿El Senador? –se asombra papá.

Algo extraño pasa entonces por tu cara. Las estrellas han muerto definitivamente en tus ojos, desde hace rato son dos extrañas estrellas lila muertas, pero aún quedaba la ilusión, el resplandor de una esperanza. En los platos ha vuelto a haber comida, los infaltables vinos de papá, y todo lo que nuestra imprevista llegada no dio tiempo a ocultar.

En las paredes sólo hay cuadros aborrecibles. Aquello no es ya más un lucero, como cuando llegamos. Las estrellas se fueron, se abochornaron volvieron al cielo donde nunca se come. Mamá ha vuelto a ser una histérica de ojos verdes con miedo a la gordura, papá un calvo barrigón con una faja tubular, mi hermana una presumida idiota. Y todos se han concertado en silencio, para no escuchar. Ya han oído demasiado. A ti en cambio te ha entrado un repentino empeño por hablar. Algo diabólico se ha puesto a brillar en tus ojos secos de golpe, en tu manera de apretar los labios, de arañar con el tenedor el fondo del plato hasta hacerlo sangrar. Dios llega entonces en tu auxilio en la persona de mi hermana, que te pregunta aludiendo a la información de los periódicos.

–¿Y es cierto que en lo de Barrios vendían mariguana?

–¡Oh, sí! –te animas–. Era el negocio principal.

–¡Jesús! –se persigna mamá.

No puedes seguir fingiendo la dulce alegría inocente que por un momento se había detenido en tu rostro y apartas con furia el plato, la silla, y dices, ya de pie:

–Señora: aquí la venden dondequiera. ¡Y se tira la bolita! ¡Y hay prostitución! ¡Y asaltan a la gente! ¡Y se pasa hambre! ¡Y se mata! ¡Y lo que sea...!

–Sí, como en La Habana –digo, por suavizar.

Mamá, que no soporta que la sorprendan en bata de casa y sin arreglar, astilla el vaso al golpear con él sobre la mesa, y puesta de pie ella también, corrige, como cuando era profesora en el Conservatorio:

–¡Como la gente sucia de La Habana querrás decir, Tom!

–Es que los sucios de aquí ahora somos nosotros, señora –dices con mucha calma.

–Vámonos –digo.

–Creo que sería lo mejor –murmura desfallecida mamá dejándose caer en el asiento.

¿Qué decir? Papá no acierta. Todos han quedado clavados en sus puestos, hundidos allí y mudos, como estacas.

Atraviesas el jardín delante de mí. Arriba el cielo está apagado, negro, enfurecido, solo. Te sigo avergonzado. Quisiera decir algo, pronunciar un nombre, algo que le devuelva a tus ojos las estrellas de hace dos horas. Habrá que esperar a mañana. Tal vez no vuelvan a salir.

–No sé qué decirte.

–Ya estoy acostumbrada.

–No debería haber insistido en traerte...

–¿Caminamos hasta caernos?

No sé si deba volver a meterte debajo del brazo. Ya en el parque te había tenido así, después anduvimos hasta casa cogidos de la mano. Ahora no sé. No querrás volver a salir conmigo. Estarás esperando el menor movimiento de mi parte para pararme en seco. Pero separados así no podemos ir. Es como llevar una billetera vacía, una botella de güisqui sin güisqui. Pero no me atrevo a estirar el brazo en busca de tus hombros. Me siento inútil como yo no lo sabía. La vergüenza, claro está, cierta timidez. Tampoco tú eres como las chicas de mi tren. Ninguna de ellas tuvo nunca los ojos tan lila ni una trenza resbalando entre los pechos, terminada después del ombligo, porque tu ombligo ha de estar bastante más arriba.

–Di algo.

–¿Qué podría decir?

–Abrázame entonces.

Me desconciertas. Has crecido y yo te sigo viendo niña. O quizá yo he vuelto a ser niño, o quizá nunca he sido niño y quiero serlo ahora. Es peligroso. A mis casi veintiún años parecería ridículo. No sé qué hacer. Te paso el brazo por encima de los hombros y dices que así no, que te abrace como un hombre. Te afincas contra mí y te cobijo con todo el cuerpo apoyado contra un árbol. Quisiera sentirte como una mujer pero te siento de otra manera. Los ojos se me humedecen. Te beso en el pelo, en la frente, en las mejillas, y en los labios un suave beso te doy. Vuelvo a apretujar tu cara con mi cara. Es extraño, repito, pero no siento fuego sino deseos inmensos de llorar. Algo perdido retorna. Un pedazo de la infancia. Algo de cuando yo era triste y tú estabas lejana, imposible, aunque vivíamos en casas contiguas. En realidad estábamos a kilómetros. Pero ya aquello pasó y ahora te tengo fieramente asida. Debiera sentirte como una hembra y sigo paseándote los labios por las mejillas, por la frente, las manos bien hundidas en tu pelo y húmedos los ojos.

–Te acuerdas de aquel poema que me mandaste con Dominguito en el día de mis Quince –dices con la mayor naturalidad saliéndote de entre mis brazos.

La noche rueda por el suelo, un petardo acaba de estallar en el último rincón del alma. Entre todos aquellos supuestos poemas no recuerdo uno, pero ni uno, que no estuviera lleno de indecencias.

–¿No te acuerdas? El de que si me tocaras o yo te tocara producirías electricidad para mantener encendida a La Habana y sus barrios adyacentes durante un año con alumbrado público y todo lo demás. –Y ríes, mundana.

Cuando al fin me recobro, me oigo decir desde una tumba remota:

–Te advierto que sigo siendo muy macho.

–Lo venía notando.

–Entonces te ofendió muchísimo.

–Entonces no estábamos en Miami.

Cómo no acordarme. Tienes doce, trece, catorce, quince años y yo te vigilo con los prismáticos desde mi cuartico en la azotea cuando llegas del colegio y te desnudas. Lo haces detrás de una puerta frente a un espejo. A veces cierras la puerta, pero por el ventanillo superior de la puerta, siempre abierto, te sigo viendo en el espejo de frente a la cama. Tienes un cuerpo limpio, brillante, hecho de loza esmaltada; unos pechos que son dos palomitas; las nalgas, redondas, compactas y brillantes son un primor. No hay ni un pelo de tu cintura para abajo que yo no haya visto salir, volverse luego una rosquita. Entonces te llamo por teléfono para contarte que me la estoy haciendo en tu honor. Otras veces, me encaramo en una silla y espero a que te asomes a la ventana para sacármela por las hojas entrejuntas de la ventana de manera que nada más se vea ella sola, solita ahí, brillando como un metal bajo el sol, sin mí, pero pidiendo misericordia, y te silbo para que mires. Tiras furiosa las hojas de tu ventana y te vuelvo a telefonear y a preguntarte si viste. Telefoneas a mi hermana y se lo cuentas. A veces tu padre le da las quejas a mi padre. Papá dice que son cosas de muchacho, que me llamará la atención. Al día siguiente cierras bien la ventana y no sales al teléfono, pero un día se te olvida y ahí estoy yo con mis prismáticos sacándomela por entre las hojas entrejuntas de la ventana. Te amo pero no sé decírtelo de otra manera. Ustedes se dan mucha importancia, yo pienso que es por lo otro y sigo vigilándote.

Incluso, en una ocasión en que el hijo de Candelaria me dejó entrar a tu cuarto, me escondí debajo de la cama. Desde allí te vi quitarte la ropa y me prometí que el día que nos casáramos te obligaría a vivir en cueros en la casa, en cueritos como estabas entonces mientras yo me la hacía y tú seguías yendo de un lado a otro de la habitación abriendo gavetas y closet, hasta que, con un frasco de algo en la mano, entraste en el baño. Era el momento de irse. Pero no me fui. Me acosté en cueros en tu cama pero sin quitarme los zapatos, estiradito como si estuviera muerto pensando que al salir del baño y vérmela ahí de cerca, brillando en la penumbra, entenderías. Pero empezaste a pedir auxilio con un escándalo que ni que hubiera fuego. Dos días después me echabas la ropa por encima del seto. Y hasta esta noche de Miami, cinco años después, no he venido a enterarme de que en aquella oportunidad habías disimulado el susto que hiciste pasar a tus padres y a la servidumbre diciendo que habías visto el fantasma de tu antepasado, el jefe de estado mayor de Carlomagno, preguntando si el collar de perlas negras seguía estando guardado en lugar seguro. Mira todas las locuras que por ti había cometido, y ahora, me daban ganas de quererte y nada más. Acaso eso fue lo que hice siempre, quererte, y lo demás era aburrimiento, despecho. Son tan pocas las cosas inventadas para ser feliz…

En eso, llevándote la mano a la boca y bostezando mientras te estiras sin dejar de sonreír, te lamentas:

–Pobre La Habana que tendrá que seguirse alumbrando y cocinando con electricidad pagada a pesar de que tan a la mano me tienes ahora.

–¡Carla…!

–¿Qué...?

–No, nada.

Vuelvo la mano a su sitio.

–Creí que ibas a pegarme.

Lo había hecho no una, lo hice un millón de veces. Incluso te había matado, destazado, tirado a los perros que venían siguiéndonos y ladrando.

–Quizá sea mejor así, ahora no lo puedo saber –dices, y te apegas a mi costado otra vez, dejando caer la cabeza en mi hombro. Después bostezas, y con dulzura susurras–: Qué bueno ir juntos.

No te entiendo, pero te rodeo la cintura con el brazo y me olvido de todo. Soy feliz. Te tengo. Para que mi felicidad de esta noche fuera completa sólo faltaría que Miami fuera La Habana. Mas, con el amor se puede todo y el corazón viaja lejos. Un estremecimiento me sacude. Este no es el violento desarraigo, ni Lincoln esta calle. ¡Pensar que me gustaba pasear en convertible por La Rampa porque me recordaba esto! Nada aquí es aburrido ni la gente sombría. Esta otra avenida no es Collins sino Galiano. Seguimos por San Rafael así como vamos, tu cabeza en mi hombro, mirando las vidrieras. Nunca antes lo hicimos pero hoy tenemos ganas y lo hacemos, nadie nos lo prohíbe. Quiero ver en J. Vallés unas pintas nuevas que llegaron. Mañana pasaré a ordenar media docena de pantalones, tres o cuatro sacos deportivos, cualquier otra cosa. Después seguiré hasta J. Mieres a ver camisas, si me gustan, pasar mañana, firmar la cuenta y envíelas a casa. Pues no discrimino en eso; compro lo mismo en La Habana que allá en Miami según lo que me guste. En definitiva ir de tiendas es una aventura, un modo de no aburrirse. Damos marcha atrás. Pasas la vista por las vidrieras de Fin de Siglo. Una amiga te ha comentado que Balmain tiene en su salón unos vestidos encantadores. Se ha hecho tarde, pasan de las diez de la noche. ¿Qué te parece si nos llegamos a Tropicana? Llegamos al parqueo de Galiano con su negrito de siempre diciéndote "Dogtol" mientras te limpia el parabrisas. Enfilamos por Malecón, la 5ta. Avenida. Entonces iría manejando con una mano y con la otra ensalivándote la puntica de una teta… Pero no estamos en La Habana y tú no ibas a Tropicana ni salías sola. Tú eras una monjita para divertirse cuando tu padre daba un fiestón de aquellos en el patio con Olga Guillot y Fernando Albuerne y toda esa gente, o con Olga y Tony. Y ni entonces. Eran aburridos a más no poder. Los ingleses, les decían a ustedes. Mucha distinción y poca bachata. Y en vez de tus tetas, es tu pelo lo que acaricio y estoy triste. ¡Los ingleses...! Pero sigamos para Tropicana, la cartera bien repleta. Mañana la volveremos a llenar. "Gastas mucho, muchacho". "Ah, qué te pasa, viejo, ¡qué quieres!, ¿que ande por ahí hecho un ridículo?". Ya, ahí está: la arcada de Tropicana, las luces, la fuente con la bailarina... ¡Bah! Todo esto es una tontería. Las cosas son como son y no como uno quisiera. Y no es la bailarina la figura que se ve ahí con un brazo en alto haciendo una pirueta, es la del empleadito de los rusos en La Habana de hoy meándonos de pies a cabeza.

–Estoy cansada.

–Es natural. Pasa de la una.

–¿Por qué tan callado?

–Pensaba… soñaba.

–¡Idiota!

Me cago en tu madre, pienso, pero no lo digo.

–¿Dónde te dejo? ¿Falta mucho para tu casa?

Te has apretado de nuevo contra mí. Tienes costumbres de gata. Con esos ojos, esa ropa y esa voz, y tus maneras. ¡Mi gata! Te me aprietas aún más. Allá arriba hay un cielo blanco por la luna y las estrellas y acá abajo, tirada por delante, tu trenza de un lado a otro cuadra tras cuadra. Seguimos por West Flagler tomados de la cintura, bajo los lumínicos y el fuego de las tiendas. Empiezas a cantar entre dientes "María Bonita" y sé que cantas para mí. Vas subiendo el tono, me miras y hacemos un dúo. El aire, ya bastante fresco a esa hora, empuja una hoja de papel delante de nosotros, la alcanzamos, la pisamos, la dejamos correr nuevamente y otra vez volvemos a alcanzarla sin soltarnos de la cintura. Nos morimos de risa sin saber por qué. Caemos sentados en un quicio e inventamos los más extraños juegos. Soy un inmenso caballo de cola dorada. "Pudiera escoger el mar pero prefiero el aire", te digo.

–Detalles, por favor.

Voy hilvanando una historia absolutamente cierta que tu dedo va transcribiendo cuidadosamente, página tras página, con la mejor letra, sobre la enorme cartera negra colocada sobre los muslos a manera de libreta de notas.

–Prosigo. Punto y aparte. La luna se echa a un lado, las estrellas se apartan. Paso por Marte, saludo a una gente ahí en Plutón. "Buenas noches", me dice Dios. "El amor dirige la más grande orquesta".

Pero ya entonces no ríes. Me tomas las manos entre tus manos, heladas, me las besas con lágrimas en los ojos y te quedas mirándome y temblando de miedo.

–Júrame que has visto todo eso.

–Te lo juro –y se me salen las lágrimas a mí también.

Te echas con la frente sobre mi pecho, muy callada, mis manos entre tus manos muy apretadas contra tu pecho. Levantas la frente, besas de nuevo mis manos y al hacerlo las llenas de lágrimas, y entonces, muy distante, sin separar tus ojos de mis ojos, lo dices, lo suplicas.

–Quédate conmigo esta noche.

Yo también me dejo arrasar por la ternura.

–¿Para que tu padre nos mate? No, señor. Además, te quiero para casarme. Siempre soñé casarme contigo.

–No hables, no digas nada. Dime nada más que te quedarás...

Hablas bajito, con dulzura, y me miras como si me estuvieras diciendo adiós. Lloras.

–Pero Carla...

–No digas nada. Te ha colocado el dedo sobre los labios y ya entonces no se debe hablar. ¿Te quedarías? Contéstame por señas.

–No. No quiero hacerte daño.

–No me harás ningún daño. Pero me lo harás si sigues hablando. Te he dicho que no debes hablar.

–¿No pasará nada y todavía tienes dieciséis años?

–Estamos en Miami, Tom.

Te echas, te doblas sobre mí y te quedas ahí afincando la cabeza contra mi pecho, en silencio.

Te acaricio a lo largo de la espalda.

–Boba, bobita. Tú verás... Deja que encuentre un trabajo.

–Lo que yo quiero es que te quedes conmigo esta noche, no que te cases conmigo.

–Tonta, tonta –me vuelvo loco de ternura yo también–. Gracias por esta prueba de amor que me das; te juro que nunca la olvidaré.

Te saco la trenza de abajo y te la beso, te beso en la cabeza, en la espalda, en la nuca, me vuelvo loco besándote por aquí, por allá, apretándote contra mí, aplastándote

–Boba, bobita...

Y lloro, tal vez río, no sé. Por fin te tengo muerta de amor entre mis brazos. Muerta. Y vibras, tiemblas, tu corazón golpea sobre mi vientre.

–¿No quieres?

31

Claro, claro que quiero. Jamás lo había deseado tanto. Por un instante me dejo llevar por la ilusión. Mañana mismo nos casaremos y todo quedará arreglado; convenceré a papá, le andaré en el cofre a mamá: me fugaré con un par de aretes, una gargantilla, dos de los brillantes del sobrecito cosido en el forro de la maleta vieja. Pero de entre el sueño surge la poderosa realidad. Y ahora, en este momento: ¿con qué? ¿Dónde podríamos quedarnos esta noche? Ni a tres dólares llegaba mi capital. ¡Malditos rusos! ¡Qué va!, esta gente no puede durar mucho ahí. Pero me da pena confesarlo, y miento:

–¿Y en tu casa no dirán nada?

–No, no dirán nada.

–No puede ser. A ver, mírame.

Te incorporas con mis manos entre las tuyas apretadas contra el pecho, y me miras, totalmente desamparada:

–No dirán nada. Te lo juro.

¡Dios mío…! Es la sordera general, el estupor. De arriba caen saxofones, cornetas, pedazos de piano.

Pasa un siglo.

Por fin me atrevo a preguntar, pero ya de oficio:

–¿Acostumbras hacerlo?

–A veces.

La calle termina de hundirse bajo mis pies. Grandes ecos lo repiten dentro de mí, altoparlantes enormes. "A veces". Tendré que buscarme un par de oídos nuevos para el porvenir. No sé si he muerto o si estoy ahí, sin memoria.

De pronto, caigo.

–¡Pues mira! Un dólar es todo lo que traigo encima y todavía me tiene que durar hasta el sábado. ¡Y para que te enteres! Es bueno que sepas que no tenemos dinero aquí, que nosotros tampoco logramos salvar nada, que esa casa con gran patio y piscina que viste es prestada y que ese jamón en la mesa nos lo regaló un asturiano conocido de papá. ¿Te enteras?

Echamos a andar hacia el buen lugar como un par de fantasmas en silencio. Tu cabeza ha vuelto a enroscarse en mi brazo. Con la misma mano de ese brazo, pasada alrededor de tu espalda por debajo de tu brazo derecho, acaricio la punta de tu trenza sobre el ombligo y la siento muy helada. No debiera importarme, pero me importa. Es como llevar apretado contra mí mi propio cadáver. En el fondo soy un sentimental y un mierda.

Subimos los cuatro escalones de madera. Tocas a la puerta.

–Cómo se demoran.

–¡Ya! ¡Ya! –gritan desde adentro.

–¿Es que no oyen?

Se abre al fin la puerta junto con la luz que se enciende. Antes nos vieron por el visor. Es una mujer ajada, medio tiempo ella. La conozco de alguna parte.

–¿Qué maneras son esas, Carla? ¿No sabes qué hora es?

La paras en seco con una autoridad que no te conocía:

–Tenemos sueño y querernos dormir.

–¿A esta hora? ¿Estás loca? Todo está alquilado.

–Entonces, levanta a Maurita. –Maurita es la niña de la casa.

La mujer nos mira indecisa. Buscas en la cartera, sacas el dinero, se lo agitas en la cara:

–Te doy un dólar más. Aquí están.

La mujer se da vuelta, dice que lo va a consultar con el doctor. Regresa. Pasamos al cuarto. ¡Dios mío! No quisiera yo que mi sarcófago fuese tan pequeño. Sería horrible pasarse toda la muerte con los pies salidos del sarcófago. Cuartos como éste, ¡no digo yo!: cuarenta se podrían hacer en una casa pequeña.

Tiras la cartera en un rincón. Comienzas a quitarte la blusa por sobre la cabeza. Tus tetas quedan cimbreando como un arco disparado. Ahora son más grandes que el año pasado y los pezones están un tanto más salidos. No mucho, un tanto. De todos modos, de haberlas visto a ellas solas no las habría reconocido. Te quitas el slack, el blúmer de un tirón y todo lo demás. ¡Dios mío!, me digo al verlo. Es el mismo de siempre, lo reconozco perfectamente, sin duda un poco más peludo. Te das vuelta y cuelgas la ropa en un clavo del tabique, empinándote en la punta de los pies. Son también las mismas nalgas redonditas del año pasado, no han cambiado mucho; quizá un poco más grandes, quebraditas como siempre: tersas, pulidas, brillantes, pero mordidas, marcadas.

Entre los muslos, pegada a la nalga derecha, otra mordida. Y otra en la espalda. Junto a la nuca. Debajo de las costillas. Un moretón por donde quiera. Te das vuelta con inocencia y te metes en la cama abriendo las piernas sin cuidado: con inocencia, todo con mucha inocencia, como si estuvieras sola. ¿Una? ¡Veinte mil mordidas! ¡La barriga! ¡Dios mío…! Te han arrasado.

La luz te da encima y no me puedo contener. Con una mano el pantalón y con la otra la camisa me quedo en cueros con la prisa de un relámpago en una noche muy negra y caigo sobre ti como un animal, como un pulpo, como todos los perros del mundo desatados sobre un importante desperdicio. Ya no puedo ser tierno, ya no puedo estar triste. Estás bajo la luz. Para volver a ser tierno harían falta la oscuridad, las estrellas arriba, un árbol cerca.

–¡Quita, bestia! ¡Saca eso de aquí, coño!

Me echas a un lado con violencia.

–¿Eh?, ¿pero qué te pasa?

–Quiero dormir, tengo sueño.

–¡Cómo! ¿A mí…? ¿Por qué me has traído?

Te encoges de hombros, cierras los ojos con dulzura.

–Quería dormir contigo, pero no esto.

No te entiendo. ¿Qué pasa aquí? El pecho empieza a darme vueltas dentro del pecho.

–¿Vas a venir ahora a dártelas de decente?

Casi lo suplicas:

–No es eso. Es que quiero dormir contigo y nada más.

–¡Coño!, ¿pero a qué tú le llamas dormir?

–A dormir. A que te tiendas a mi lado, a que te duermas. ¿Es que no puedes pensar en otra cosa?

–¿Y todas esas mordidas?

–A ti no te importan.

Te agarro por la trenza, por los ojos.

–¡Qué va! ¡Tú tiemplas conmigo esta noche o yo te mato!

–¿Qué? ¿Con guapería...?

Te has incorporado.

–¡Sí! Con guapería, sí.

Te espanto un bofetón. Y otro. Y otro. Te agarro por el pelo y trapeo el piso contigo, hija de la gran puta. Es un deseo desagradable y desconocido. Pero nada de eso sucede. No es necesario. Has abierto los ojos con espanto y felicidad a la vez, y las piernas de par en par:

–Ven, súbete.

–¿Así?

–¿No es lo que tú querías?

–¿Y de tu parte?

–Yo no quiero. Ya te lo dije. Yo te sirvo, ven.

Y te abres aún más. Más. Continúas abriéndote. Adelantas diestra el pubis suspendiendo las nalgas, afincándote de nuca, contra la colchoneta pelada. Las rodillas sobresalen a ambos lados de la camita. Y te abres más. Más. La vida ha huido despavorida de entre mis piernas. En mi memoria se abre paso el recuerdo de un túnel inmenso por donde pasan camiones, locomotoras, rastras cargadas con vacas, con plátanos verdes. De alguna parte surge un espantoso olor a gasolina. Es horrible, eres horrible.

Agarro de un tirón el estómago, el pantalón, el corazón de tu madre.

–¡No!... ¡no te vayas! –Te me tiras encima, desenfrenada, gritando aterrada–. ¡No!... ¡no te vayas!

Te agarras a mis piernas, te vas dejando caer hasta mis pies, desde la cama, sollozando. Te doy con la rodilla en la frente; hago por ponerme el pantalón; no hago caso del calzoncillo en el suelo, de un calcetín.

Hasta desnudo me iría. Pero estás ahí caída a mis pies: gritando, temblando. Te ha dado un ataque.

–Yo hago lo que tú quieras, ¡lo que tú quieras!, ¡Lo que tú quieras!...

Lo repites incesante, tremendamente. Me da rabia, me da lástima; no sé qué hacer. Además, quién sale ahora. Los vecinos dicen horrores. Los berridos de varios bebés. Los golpes en el tabique, el chancletear en el piso. La voz de la señora que nos abrió la puerta grita desde la sala que si el doctor se despierta nos botará. Ya nos están mentando la madre. Por encima del tabique comienzan a caer periódicos, revistas, latas de cerveza vacías, chancletas. El escándalo no puede ser mayor. Tú sigues aferrada a mis piernas, a mis pies, gritando que haces lo que yo quiera. Y ya está alguien ahí pateando la puerta. "¡Dejen dormir, cojones, que esta es una casa decente! ". Otro por allá grita que lo que hay que hacer es echar abajo la puerta y sacarnos a patadas.

Usted verá que todavía se nos meten aquí.

–Está bien, está bien –te calmo–, no me iré.

Si salgo me destoletan.

–¿De verdad?

–De verdad.

Te vas serenando. Me da pena. Eres una cosa caída sobre mis zapatos. Te tomo por debajo de los brazos, te acuesto en la cama. Estás fría. Tiemblas. Qué linda carne que ya no quiero. Te saco la trenza de la espalda y te la pongo donde siempre. Nunca has estado tan bella como esta noche temblando con lágrimas enormes y una serpiente de pelo bajándote de la cabeza al alma por entre los senos. Me siento la peor de las sabandijas. He querido tenerte a la fuerza. En otro caso no me importaría, pero contigo sí. Eres una yegua pero no quiero lastimarte. Otros te tienen, pero yo no debo tenerte a la fuerza. Me tomas la mano, me obligas a caer de costado sobre tu cuerpo. Tiendo una pierna sobre tus piernas y no pasa nada. Tiemblas. Tiemblas. Te acurrucas. Me imagino que así es el amor de hermanos y vuelvo a quererte como esta tarde bajo las estrellas. No sé quién es más puerco. Tal vez yo, quizá tú, pero te quiero. Esto se sabe en el corazón que te da vueltas como un pájaro suelto dentro del pecho. No ves, no oyes, sólo escuchas el pájaro allá dentro queriéndose salir. Pero te aprietas el pecho con odio y no lo dejas escapar. Si daño hace dentro más daño haría fuera. Que siga allá adentro dando golpes, rompiéndose el pico, soltando plumas.

–¿Por qué no me pegas? –preguntas como quien pregunta por qué no le han traído un juguete.

–Sería como pegarme a mí mismo.

–Es una pena.

–¿Por qué?

–Digo yo –explicas encogiéndote de hombros, pero llenándote la cara con mis manos.

Se hace el silencio.

–Vamos, anda.

–No, ya no.

Te cierro las piernas como quien cierra un libro. Aprietas aún más tu cara contra mi cara y algo caliente rueda hasta mi pecho. Ya no tiemblas: lloras y sé que lloras de veras. Me gusta que la gente llore así, calladamente. Quizá esto sea querer: hacerse daño, morirse una noche. Pasa un rato. La madrugada ha estado poniéndose fría y tu cuerpo deslizado junto al mío abriga silenciosamente. Tus ojos entornados esperan preguntas. Pero, ¿qué podría preguntar? Mañana pensaré esta noche con más calma. Desde ahora sé que hasta que no te tenga mía porque a ti te dé la gana, porque tú me lo pidas, no voy a sentirme tranquilo ni dejarás de importarme. Si no lo deseabas ¿por qué me trajiste a dormir contigo? Es tarde, no puedo saberlo. Esto hay que pensarlo en frío. Seguir pensando es volver a desearte, volver a echarlo todo a perder. No debo sin embargo darte la impresión de que no me ha importado. Algo debo decirte, preguntarte. Te paso la mano por la cabeza y la trenza duerme allá abajo. Una casi invisible sonrisa gira en tu boca.

–Carla...

–Sí...

Es un susurro que casi te rompe las ganas de preguntar.

–¿Por qué con otros sí y conmigo no?

Te arrinconas más contra mi cuerpo.

–Tú no me das asco.

40

–No entiendo.

–Mejor –dices, y es como si hubieras dicho un elogio.

–Duérmete.

Y me duermo.

Abro los ojos y tengo la impresión de algo tibio sobre la frente. Es una tenue llamita húmeda, redonda. Te busco a mi lado y no estás pero están tus nalgas, puliditas y redonditas, otra vez tus nalgas, ahora empinadas sobre la punta de los pies alcanzando la ropa. Sí, las reconozco. Son tus nalgas de La Habana, tus mismas nalgas de entonces, saludables, malvadas, y un viejo furor renace entre las sábanas.

Ay, tus nalgas. Tus nalgas de entonces amanecidas aquí, frente a mí; alzadas sobre los pies, junto a mí. Soy el hombre más rico del mundo esta mañana. El mundo es un par de nalgas. Y tus nalgas sobre mi cara, junto a mi cara, alrededor de mi cara. Algo va a pasar aquí. Tiene que pasar. Pero tus nalgas me han oído, han escuchado mis ideas. Te vuelves con una tímida, dulce sonrisa inocente, como para apagarme. Y entonces ya no es posible. No es posible, Carla, y tú lo sabes. Tus nalgas también. ¡Dios mío! ¿por qué me has traído aquí, entonces?

Te tiras la trenza por delante, te sientas en la cama. Me das otro beso en la frente. Los ojos se te iluminan.

–Sigue durmiendo, apenas son las diez; no demoraré mucho.

–¿A dónde vas?

–A una gestión, pero vuelvo enseguida.

Caes desnuda con tu trenza sobre mi pecho desnudo. Tratas de aplastarte contra mi pecho pero tus tetas te lo impiden. No son tetas: son un par de muelles. Estoy loco. Y debajo de las sábanas más loco todavía. Veo visiones, nalgas, tetas colgando del techo junto a la puerta, racimos de nalgas, grandes estibas de tetas. Y en tus ojos el tiempo de las nalgas.

–¿Te quedarías aquí conmigo una semana?

–Claro, claro –he dicho sordamente–: La vida entera –y te aprieto una nalga, con amor.

Te pones la ropa, me tiras un beso agarrado con la punta de los dedos.

–Vuelve a dormirte.

Y me duermo.

Es un sueño muy raro porque en el sueño sé que estoy soñando. Es también raro porque en la fiesta de esa noche en el patio de tu casa en La Habana alternan Olguita Guillot y Fernando Albuerne, Olguita la cantante preferida de tu mamá, y Albuerne el cantante preferido de tu papá, pero que siempre actuaran allí por separado. Detalle por el que en casa sabíamos si la fiesta había sido por tu papá o por tu mamá. Sí hubiera sido por ti, entonces traían a Obdulia Breijo y al Sevillanito, con sus artes de cantejondos y eso era verlos y sentirlos desbaratando sobre un tablado, maravillas que mamá seguía en casa con el pie y en las que de repente entrabas tú de castañuelas en alto, mantilla y gran peineta, taconeando como una Lola Flores que se dispusiera a matarnos del corazón. Y de no estar la Guillot ni Albuerne, traían a Olga Chorens y a Tony Álvarez y entonces sí había que esperar a los periódicos del día siguiente para saber por quién había sido la fiesta.

Pero esta noche del sueño alternan Olguita Guillot y Fernando Albuerne y yo estoy sin camisa en la ventana de mi habitación de la azotea, buscándote con mis prismáticos. Entre el lucerío que todo lo difumina, cosas y gentes van pasando distorsionados en aquel patio de penumbras en colores como solían dejarlo los hermanos Sosa que siempre eran contratados para eso, pero no te veo. En tanto, sin saber cómo ni cuándo, estoy en la fiesta. Para no ser reconocido, me he embutido en la filipina de un camarero al que he inmovilizado con una llave de judo, lo he amarrado y le he sellado la boca con esparadrapo. No sé qué pude hacer con su cuerpo, tal vez lo metí en el maletero de un auto, no estoy seguro de eso y esto me preocupa. Voy por la fiesta de mesa en mesa repartiendo tragos, bandeja en alto, con la elegancia de un camarero profesional. Tu madre, electa por la crónica social como una de las damas más elegantes del mundo habanero, luce un vestido azul turquesa muy descotado y lleva, por supuesto, su famoso collar de perlas negras. Preciosa joya de familia desde los tiempos de Carlomagno. En esto, mientras te la enseño en un aparte y además te convenzo de que la agarres, de que la toques, porque necesito que acabes de comprender. Tu padre, que me ha descubierto, se desgañita anunciándolo desde el micrófono de los músicos. Para entonces estoy en cueros por completo, me encandilan los reflectores que me han plantado encima, y todos los personajes de la fiesta corren detrás de mí, llevando pavorosos cuchillos para cortármela. Tropiezo con una silla en la piscina, me agarran, y cuando ya van a cortármela, lo impide Irma, la madre de mi condiscípulo en Belén, Arturito Quintero. Empuñando una pistola Luger que no sé de dónde sacó, Irma dice que si a la cuenta de tres no me la han soltado y el grupo ha soltado los cuchillos, empezarán a volar cabezas. Ninguno de los presentes ignora sus proezas en el campo de tiro de Arroyo Arenas, y la obedecen. E Irma, la peligrosa treintona que ponía la playa al revés con sus trajes de baño de dos piezas que tanto daño me hicieran, se arrodilla extasiada delante de mí, lista, ávida por darle lengua; lo impide la llegada de tu padre con la policía. Me meten en la perseguidora y, sorpresa, en el asiento de atrás, aguardándome, está el coronel Esteban Ventura Novo de traje de dril cien, prendiendo un tabaco Larrañaga.

Imitando la voz lúgubre de Ángel Espasande, me dice Ventura: "El destino está en sus manos". No era una frase de él. Era el título del popular programa radial que narraba Ángel Espasande.

–Despierta, manganzón.

Eres tú, de nuevo.

–Con ustedes en los tiempos de La Habana casualmente soñaba –comento.

–Entonces no me lo cuentes.

Te has cambiado de ropa. Traes un pequeño maletín azul y blanco de la Panam. Te sientas a un costado en la cama; me hundes las manos en el pelo, vuelves a besarme en la frente. La vida no te cabe en el rostro, el corazón no te cabe en el pecho, las manos no se te están quietas en mi pelo, entornas los ojos, tarareas una canción. Sacas de mi cabeza el índice, arrastrándolo hasta la punta de la nariz, presionas suavemente hacia los lados y hacia abajo; ríes y es un relámpago en tu boca. Me tomas por las orejas y me batuqueas. Luego te quedas con mi cabeza entre tus brazos puesta sobre el pecho, afincada contra la barbilla, y me meces como a un niño.

–Vámonos para el cuarto de ahí al lado. Se desocupa a las doce y lo he alquilado por una semana, ¿No te parece estupendo? –me besas en la frente.

–¿Cómo que lo has alquilado?, ¿con qué?

–Un dinerito ahí…

–¿Pero ahí de dónde? No creo que te hayas atrevido a sacrificar a tu padre así, por gusto. Ustedes no están para tanto.

–No, hombre, no. Un tipo con el que me acosté. Me dio quince dólares, todavía quedan tres para ir a desayunar. Vamos.

Se me congela la lengua. Un humo frio me baja del cerebro a los pies. ¡Será posible! Un tipo con el que se acostó. ¡Un tipo con el que la muy hija de puta se acostó! ¡Dios mío!, ¡Un tipo con el que se acostó! Me amarro los puños con orgullo. Debo comportarme como quien no ha oído, como si nunca hubiese escuchado algo así. Es mi hombría, mi dignidad de hombre.

– ¡Ah!, otro tipo con el que te acostaste por dinero.

–No es "otro". Por dinero es el primero.

–¿El primero?

–Sí, pero no te preocupes, era un viejo. Desde hacía rato me los había ofrecido y como hoy se me dio esto del cuarto...

–¿Y las veces anteriores?

–¿Cuáles veces anteriores si nunca ha sido por dinero?

–No te entiendo –digo por no irte para arriba.

–Qué vas a entender...

Mejor me voy. Encuentro los zapatos: uno debajo del camastro, el otro debajo de una silla junto a la palangana de agua. En la vida me vuelves a ver el pelo. ¡Puta! ¡Degenerada! ¡Pero qué cosa más grande, Señor! Un tipo con el que se acostó…

–¿Entonces no desayunaremos juntos?

–Otro día, mañana.

–Y yo que pensaba ir contigo a Bayfront Park. ¿No te gustan las palomas?

–Mañana.

Estoy vestido, ya con la mano puesta en el pestillo de la puerta. Te habías dejado caer en la cama, boca abajo. Lo dices, musitado, con mucha dulzura:

–¿Por qué no me pegas?

–Ni soy de esos, ni veo el motivo.

Sigues boca abajo. Dudo.

–Hasta la noche.

–Mejor no vuelvas, porque puede ser que esté con otro.

–¡Por mí puedes estar con la Infantería de Marina de los Estados Unidos completa!

Tiro la puerta. Dentro, el estrépito del pestillo.

Nadie a mediados del año 60 entendía qué podían estar esperando los americanos para acabar de ponerle fin al retozo de Castro con los rusos. Y todo había sucedido conforme papá lo predijera. En eso nunca se engañó. Abogado ducho y antaño medio marxista o mejor dicho, gente que leyó marxismo y fue amigo de marxistas en los años del Directorio Estudiantil Revolucionario del ´27; desde que vio entrar el primer barco ruso cargado de petróleo en el puerto habanero se lo dijo a mamá: "Si dejaron pasar ese barco dejarán pasar los otros. Con petróleo y con lo que traigan".

Es ahí cuando se convence de que ha estado perdiendo el tiempo. Pide mesura a los contertulios habituales de casa, menciona el peligro de los criados, lamenta el peligro que significo yo mismo, que lo tengo amenazado con dar cuenta al G2 de todo lo que en casa se dice, pero no clausura las tertulias. Eso llamaría la atención. Ni Menéndez, mi padrino y su mejor amigo además de asociado principal en el bufete, conocerá sus pensamientos a partir de la entrada en puerto de aquel buque petrolero que hasta hoy he recordado como el fin de una época. Nunca fue hombre de confiar en nadie. Sólo con mamá se confesaba, y esto, hasta cierto punto. Cuando se metió en la conspiración de Aureliano Sánchez Arango para salir de Batista, mamá no vino a saberlo, ni yo, ni nadie en casa, hasta la huida de Batista el 31 de diciembre de 1958. Y de no ser porque

50

de nuevo medió la casualidad, también después del ´59 cuando volvió a entrar en inteligencia con Aureliano, se queda mamá sin saber lo que tenían preparado contra Castro.

Son días y situaciones a las que a menudo he vuelto, aterrado del papel en que las circunstancias le colocan a uno a veces. Si Allá en La Habana por poco mato a mamá del corazón, Acá en Miami por poco mato a papá. Tampoco estaba en mis manos evitarlo y seguir siendo un hombre libre: papá y mamá habían hecho su elección, yo tenía derecho a hacer la mía. Descompadramiento, por cierto, que empieza sin que medie ni una palabra con ellos. Ni siquiera tenía pensado verlos esa mañana.

Con ese fin había entrado por la puerta del fondo que da directamente a la piscina, donde me detuve a jugar con Coronel, mi perro de la infancia, ya viejo y en plan de morir pero que no me atreví a dejar en Cuba. Aunque mi cuarto es amplio, no quepo en él esa mañana. Voy de la cama a las ventanas. Me siento, me acuesto, pero sigo sin caber allí. La galaxia misma me habría quedado chiquita. No haberte asesinado, sobre todo cuando apenas un rato antes te oí decir que te habías acostado con un tipo por quince pesos, seguía haciéndome sentir el más pequeño, miserable de los hombres. Cuando menos, haberte torcido el pescuezo, cortarte en pedacitos con una hachuela y sentarme en un banco de parque a ver cómo se los comían los perros y las hormigas. No me perdonaba no haberlo hecho.

Bajo al jardín. Sigo demoliéndote. Un brazo, una pierna, los ojos, cabrona.

En eso, decía mamá:

–Oiga usté.

Los había venido oyendo conversar sin oírlos. Eran ella y papá y mi padrino y mi madrina, o sea Ménendez y Evelia. Más que padrino, Menéndez era en lo espiritual un tío muy querido. Tipo abierto, democrático, con el que me podía confesar. Sorprendiéndome, cuando cumplí quince años me llevó a un bayú de lujo y le dijo a una joven puta, casi una adolescente todavía, pero muy estimada por él y muy entendida en lo suyo: "Entrénamelo ahí, Susana. Empléate a fondo las sesiones que hagan falta pero haz de él un As". Menéndez. Caramba, mi padrino.

Él también, como casi todos los de su tiempo, había creído que aquello del socialismo, sería algo pasajero, cuestión de precio. El doctor Castro –quien todavía en esos tiempos era Fidel para mí–, era un ser humano, luego entonces qué miedo debería inspirar.

–Ánimo, ánimo. Se le da un ingenio y el hombre entra por el aro –y papá, largovidente como siempre–, ¿un ingenio? ¡Ay no jodas, Menéndez!

Pues papá, que desde un principio lo caló, decía: este no quiere un ingenio, este quiere todos los ingenios, y de poder, la Isla entera. Pero bueno, admitía papá, cuando el tipo en el ′65 abandone la presidencia, después de cuatro años de gobierno a partir de las elecciones generales prometidas para 1961, el país volverá a su lugar, la mal empleada palabra "revolución" volverá a su sitio del diccionario y con los años esta revuelta de 1959 será un episodio pintoresco, algo así como La Chambelona.

De ahí el relajo que tanto gusto me diera formarle cuando Fidel, haciendo de mí el hombre más feliz del mundo, anuncia que elecciones para qué. Como consecuencia de este anuncio, papá da por hecho la inmediata llegada de los americanos. Lo que a partir de ese momento discute en casa con mi padrino y sus otros asociados, son los procedimientos legales más expeditos para la revocación de las leyes dictadas por el gobierno de los rebeldes, al cual ya daban haciendo sus maletas.

Qué días. Ellos viendo a Fidel huir a Rusia con la llegada de los americanos, y yo burlándome de ellos. Hasta una bandera del Movimiento 26 de Julio me atreví a colocar en la fachada de casa. Y además de la bandera del 26, fijé en la puerta dos chapillas de agradecimiento que entonces eran tan frecuentes. Una decía: GRACIAS, FIDEL, y la otra: FIDEL, ESTA ES TU CASA.

Y no los dejo en paz. Cada vez que en el Ministerio tengo una media hora libre vengo a casa, entro por el fondo, me escondo a oírles y les salgo al paso cuando más embullados están.

–¡Qué van ellos a creer en pastorales...!

Míralos cómo se acaloran. ¡Puaf! El escupitajo al piso. Las colillas. Las voces levantadas. Ahí... ¡cómanse los hígados! No digo yo si la Reforma Agraria va. Claro que después de la Reforma Agraria tendrán que consentir otras cosas. ¿Quiénes son ustedes para consentir o dejar de consentir? Ni lo que ustedes digan o digan los curas cuenta. ¡Ahora estamos al mando nosotros: los del 26 de Julio y las demás organizaciones revolucionarias, hasta de los comunistas, que al principio vomitaban cuando oían hablar de derramamiento de sangre.

Y mamá, a diario: "eres un inconsciente", y yo: "algún día había que tener justicia". "Estas hecho un perdido". "Por el contrario. Al fin me he encontrado". "Ya te pesará, ¡te lo aseguro!". "No veo cómo". "¿Y la herencia?". "Ah, mamá, eso también está al ser una palabra del pasado, una voz obsoleta igual que dinero, joyas. ¡Herencia!". "¡Oiga eso!, ¡herencia! Estamos en marcha hacia el comunismo, mamá. Aún no se ha dicho oficialmente, pero ya lo oirás decir. Me verás con una chaqueta como la de Mao. Y te verás y verás a papá y a todo el mundo aquí vestido como Mao".

–¿Qué escándalo se traen ustedes? –Aparecía papá, atraído por los gritos de mamá–. ¿Ya empezaron otra vez?

–Es que la vieja no respeta mis ideas.

–¡Qué ideas ni ideas ni un carajo, so mocoso! ¿Crees que está bien lo que nos están haciendo? En cualquier momento me avisan del Ministerio de Recuperación de Bienes Malversados que me presente con documentos relacionados en una extensa citación que a lo mejor fue redactada o mandada a redactar por ti mismo, cacho e cabrón. Traidor.

–Estamos haciendo un país nuevo, papá. Entiéndelo. No queremos ricos. Nada del pasado. El cielo de que nos hablan para después, lo queremos ahora y lo vamos a realizar ahora.

Un día, mamá, que había enflaquecido y hecho promesas hasta de ir a pie al Santuario del Cobre con tal de que la Virgen me sacara de la cabeza aquellas ideas, me habla con un pomo de tinta de zapatos en la mano. Se lo tomará si al menos no me detengo a oírla. Pues no cambia. Sigue sin darse cuenta de que lo que para ella es un asunto de palabras para mí es un acto de fe. Ligando zalamerías con quejas y súplicas, admite que todos hemos estado un poco exaltados, deberíamos detenernos, no seguir. Ese matrimonio a la carrera de Laurita y Heriberto no puede estar bien. Él no es igual a nosotros. No señor, él es un comandante rebelde, uno de ellos. Esto afecta mucho a tu padre. ¿De veras lo has pensado bien? ¿Crees que es así como un hijo debería conducirse con sus padres, tú, lo único que nos queda?. Sí, ella lo comprendía, todos los jóvenes éramos iguales. También tu padre de joven simpatizaba con todas esas quimeras. Incluso remó con Mella y Mella una vez le pidió prestado un saco para una foto... No señor, no es que después hiciera dinero, es que después se hizo hombre... No, hijo, no, ¿sabes lo que a veces pienso?, pero no, eso sería monstruoso, ¿sabes? Me niego a creerlo. ¿Cuándo te ha faltado algo? ¿A qué edad te regalamos el primer convertible? ¿Quieres otra lancha, otra avioneta?... No, hijo, no. Eres injusto... Pero si no es tan grave. Anda, ve y pídele perdón a tu

55

padre, anda; renuncia en el Ministerio... No me hables así, coño, no me hables así que me partes el alma. Primero fue aquella vez cuando te sacamos de la estación de policía casi en el último minuto... ¡Qué ideas ni ideas! ¡Ideas que van contra tus padres, que van contra Dios? Son tus malditos resentimientos. Ya te arrepentirás... Y yo muy sereno, muy lleno de lástima por ella, pero también muy sincero: "Dile (a papá) que todavía está a tiempo pero que se ande con cuidado porque es mi padre, y lo amo, y daría la vida y mi alma por él, pero ésta es mi revolución y estamos fusilando, mamá, estamos fusilando y no me opondría a que lo fusilaran a él también si hubiera que fusilarlo aunque después lo llorara toda la vida".

Por esta época, papá ya con sus cautelas de la otra vez y sus mensajes para equivocar al enemigo, del comentario de la marcha de los acontecimientos y de alguna expresión más o menos hostil contra Castro para hacer creíble su pasividad, no permite pasar en sus tertulias. Cuando uno de esos días el padre de Carla sugiere desesperado, acabar con el doctor Castro, eliminarlo, y secundándolo dice el gordo Acebal: "Sí, pero ¿cómo?". Papá, en el acto, puesto de pie como sacado del sillón por un resorte, está delante de aquellos dos, señalándoles la puerta de la calle y diciéndoles con su vozarrón de capataz de obras: "Aquí no se habla de eso. Condeno lo que hace el doctor Castro, pero no soy hombre de pensar en esas cosas. Arrepiéntanse, que Dios está mirando".

Sucedía esto una de esas noches, sobre las diez, hora en que entre el trabajo y el estímulo que todo trabajo impone para seguir adelante, me daba mi escapadita en el Ministerio para ir a ver cómo andaban las cosas en casa.

Qué tiempos. Qué tiempos. No dormíamos. En ocasiones nos cogían las cinco de la mañana en el Ministerio haciendo informes, leyendo denuncias, en fin. Muerto de sueño a esa hora, muchas veces terminaba echándome en el sofá de mi oficina hasta las siete cuando llegaba la empleada de la limpieza. Semanas enteras así, durmiendo una o dos horas por noche, Faustino, el ministro, igual, todo el mundo allí igual. Trabajar, trabajar, todo en ese año fue trabajar. Trabajar y templar. Trabajar y templar. Todo el ´59. Tan mágico fue que de un día para otro hizo desaparecer en el país, acabó, convirtió en leyenda remota a la Chaperona, aquel ser odioso; personaje cuyo acompañamiento era preciso sufrir si te otorgaran, si tuvieras la suerte de que te otorgaran el privilegio de ir con tu novia al cine o de acompañarla el domingo a la misa. Seducidas por todo lo que parecía anunciar aquel año mágico, para mí durante un tiempo el más bello de la historia del mundo, jóvenes y viejas, solteras y casadas, no dudaron en incorporarse a trabajar de inmediato por la revolución. Lo hacían voluntariamente, participaban en los censos, las veías organizando tómbolas o haciendo colectas para comprar equipos para la Reforma Agraria y así en mil tareas llegadas con el áureo porvenir que parecía haber comenzado. De manera que entre tarea y tarea nos era dable intercalar el cordial palito para bajar el almuerzo, el palito para bajar la comida, y la singadita imprescindible de por la noche antes de volver a la oficina para seguir trabajando. Qué año. Además, se vivía en el país una enconada lucha de clases y singar era, también, un modo de confraternizar, de identificarse en lo ideológico.

Nunca, Carla, sabrán aquellas novias de paso cuán a menudo fueron sacadas por ti de la cama o del asiento del automóvil para ocupar el lugar de ellas. Ni nunca sabrá mi padrino Menéndez cuánto le agradecí el sagaz entrenamiento en diez sesiones que me diera Susana Orozco y que, como son las cosas de la vida, me iba permitir estar ahora haciendo el cuento.

Era lo menos que pensábamos aquella mañana en el jardín después de lo sucedido contigo la noche anterior y la historia por la mañana del viejo y los quince pesos.

Pues fue allí, en el jardín, oyendo a papá ripostarle a mi padrino Menéndez, donde supe que la vida volvía a enfrentarnos. Aún me parece estar oyéndolo.

–Ni con él ni conmigo cuentes para ir a Cuba. Ahora es tarde, ahora que vayan los americanos a arrancar la mala yerba que dejaron prosperar.

–Me azoras.

Padrino tampoco irá, pero irán Javier y Manolo, sus hijos contemporáneos conmigo.

–Como si van tus suegros también, Menéndez.

Esto hace saltar a Evelia.

–A mis difuntos padres no los metan en su brete. Ahora, dejarte quitar lo tuyo y no hacer nada, desdice de ti. Ya bastante fue con lo que aguantaste en La Habana. Eso aquí no se entendía, quienes te conocen no lo podían creer.

–Aunque lo pareciera, él en La Habana no estaba de brazos cruzados –precisa mamá sin entrar en detalles.

–¿Y Tom qué dice? –pregunta padrino–. Está al cumplir la mayoría de edad.

–Como si cumpliera quinientos. Tom hará lo que yo diga. Ya cuando Batista, por ventura logré salvarlo.

–Por Ventura no –dice madrina Evelia con sorna–, gracias al general Salas Cañizares; Ventura te lo iba a matar.

Fue un chistecito muy propio de madrina, mujer muy cáustica, pero que a papá no le hizo ninguna gracia. Ya veremos, me digo pensando en el porvenir que por lo visto me tenía papá comprado. Ya veremos. Desde meses atrás me venía hirviendo la sangre al ver a los rusos y a los chinos y a los otros camaradas de los países satélites desembarcando armas y municiones Allá. A ese paso, dentro de poco estarían desembarcando ellos también y poniendo a los cubanos a hablar ruso como antes hicieran con los lituanos y los moldavos y los estonios, y en fin, como pretendían hacer con todo el mundo…

Papá, en tanto, seguía acosando a padrino:

–Explícame, explícame ese sutil detalle dejado entrever por la sutil Evelia según el cual quien no vaya ahora a Cuba perdería sus propiedades.

Esto lo ha dicho casi gagueando, como hace cuando se encojona. Yo todavía no me he dejado ver. A Evelia y a mamá no les prestó atención. Los cuatro están en la terraza techada entre la sala y la piscina, unas veces hablando entre sí y otras en conversaciones cruzadas. Bueno, contemporizaba padrino, todavía no se ha hablado de eso, pero quién quita.

Comeré algo en la cocina y volveré a mi cuarto. Necesito estar solo, pensar. En eso la vieja me descubre. Ve mi cabeza escurriéndose por debajo del ventanal y me llama.

Entro y saludo a Evelia y a mi padrino. Aplacándose, papá, que a su modo lo estima, además de haberlo tenido de socio, y no sólo en el bufete; le está diciendo que él ha venido a Miami a quedarse, cosa que antes no había tenido la oportunidad de decirle. Ya cuando Machado, y padrino no podría haberlo olvidado, le dice, hizo cosas que no dudaría en hacer de nuevo de concurrir las mismas circunstancias pero cosas que no ha logrado olvidar, por lo que tampoco ha podido volver a dormir en paz. Por eso, hubiera deseado que yo no me metiera en nada cuando Batista. Nunca hallaría las palabras adecuadas para agradecerle al coronel Ventura el haberme detenido.

–¿Pero, y lo de Allá, entonces?

–¡Vete al carajo, Menéndez! No me presiones –Papá se ha puesto en pie hecho un miura–. Es más, por si a alguien se le ocurriera desenterrar, vaya usted a saber, cuál precedente para despojar de lo suyo a quien no vaya, tampoco eso me haría cambiar de opinión. ¿Lo oyes? ¿Lo entiendes? En definitiva, como predicó San Pablo, de qué vale ganar el mundo si pierdes el alma.

Padrino se ha quedado sin palabras, e igual madrina. Papá, a quien todos creíamos hereje de marca, agregaba que en definitiva él, hijo de talabartero que para poder estudiar en La Habana había trabajado en una tarima en el Mercado Único, empezó de cero a la caída de Machado. Hoy, es verdad, tenía el doble de edad, pero también tenía la experiencia y los contactos que entonces no tuvo. Con ese presupuesto se proponía empezar otra vez, pero Acá, en Miami. Por lo pronto, estaba en tratos para comprar una de esas estaciones de servicio donde venden gasolina y aceite y neumáticos. Comienzo, exploración, modo de ir tomándole el tamaño de bola al lugar. La Florida le parecía una tierra llena de posibilidades, un país aún por hacer.

Largo silencio expectante que rompe madrina Evelia, dice que papá ya cambiaría de opinión. "Lo que tiene Allá es mucho". Papá no la deja seguir. Parándola en seco, revienta: "Cojones, pero ¿qué es esto, Menéndez? ¿Una confabulación en la que has implicado a tu mujer?".

–¿Y Laurita? –pregunto con falso interés, para suavizar la situación.

Mamá, que ha de estar implorándole a Dios para que papá vuelva a sentarse, dice, lamentándose con tono exagerado, que Laurita está en su habitación con el bebé, que le está dando una lata… "La dentición", comenta madrina Evelia, sabiendo que por su edad el bebé no puede estar en lo de la dentición, y ahí está mencionando supersticiones y medicinas para los niños cuando están en ese periodo. También padrino teme, lo conoce, sabe que cuando papá se levanta de su asiento en medio de una conversación o se pone a gaguear, es de salir a esconderse. Aprovecho para escurrirme con el cuento de ir a ayudar a Laurita.

–La pobrecita –digo.

Me armo en la cocina un sándwich con jamón, mantequilla, queso, pepino, mostaza y lascas de pavo asado, me sirvo un vaso de leche, y dejo el litro en la meseta. Pongo el sándwich en la plancha, y me vuelvo al oír pisadas. Es Laurita, la muy idiota metida en las botas militares de su marido, y con los ojos enrojecidos.

—¿Llorando otra vez por el basura ese?

—No es ningún basura. Es mi marido y el padre de mi hijo. Y respétalo, que es más hombre que tú...

—¿Más hombre que yo...?

Laurita sospecha que fui el delator de Heriberto y él también lo creía. A esas sospechas, que rompieran lo que había sido una gran amistad, vinieron a unirse después los problemas ideológicos. Hubo, incluso, un mediodía en que por poco nos matamos en Palacio. Tenía el muy cabrón la realidad delante y no la veía o no la quería ver.

"Me imagino cómo andará eso por Allá", me había dicho. Y yo: "Dan asco, te lo aseguro, Miramar entero da asco".

—¿Qué dicen de mi boda con Laurita?

—Cómo no te muevas rápido...

—¿La sacarían del país?

—Ya viste cómo a mí me soplaron para Nueva York.

—Tampoco hiciste el esfuerzo por volver.

—Porque allá me hice útil ayudando a conseguir dinero y armas.

—Pero menos peligroso.

—¿Te atreverías a acusarme de pendejo?

—¿Crees, entonces, que la saquen del país?

—Te pregunto si me estás acusando de pendejo.

Estaba tenso, me observaba como si algo le picara.

–Digo, ¿te atreverías a acusarme de pendejo?

–Los tienes amenazados, me ha dicho Laurita.

–No has contestado si me estás acusando de pendejo; en cuanto a lo de amenazar, yo no amenazo, yo digo la verdad.

Esto lo acaba de enfurecer.

–¿La verdad, cuál verdad?, ¿qué coño estás insinuando?

–Insinuando, nada, diciendo lo que es.

–Insinuando, sí, insinuando, ¡una cosa son las leyes justas, necesarias, y otra muy distinta la destrucción de la propiedad privada! Eso quisieran los ñángaras.

–¿Y qué coño somos nosotros, marcianos?

Bueno, eso fue de pistolas sacadas y todo. Por fortuna, en eso bajaban de entrevistarse con el presidente Dorticós, Carlos Franqui y Faustino Pérez.

–No lo dije por lo que tú piensas –me estaba diciendo Laurita.

–¿Y cómo puedes tú saber lo que yo pienso?

–Como tienes el complejo de que él se fue a la Sierra y tú te quedaste en Nueva York…

Mejor no presionarla. Además, me tiene abrazado. Sabe que me ha herido, pero me tiene abrazado y ha roto a llorar.

–Olvídalo. No se lo merece.

–Pero si ya lo olvidé.

–¿Y por qué lloras?

–Por el niño.

–¿Y esas botas militares en que andas metida?

–¿Cuáles botas? ¡Ah!, no me di cuenta.

Parto mi sándwich en dos mitades. Le pongo una en un platillo. Lo rechaza.

–Ni un bocado me pasaría.

–Estás muy desmejorada, tienes que comer.

–No es eso. Es el niño. No me deja dormir.

Desaparecía en la puerta de la escalera con una bolsa de agua caliente. Sin esperanza le pregunto si tiene diez dólares por ahí, en el fondo de alguna cartera. Ni uno. Verdad que no lo necesita, dice, pero desde que vinimos papá no le ha dado ni un centavo. En esto, entraba papá. Y definitivo, plantándoseme delante:

–Ya tu padrino me estuvo hablando de la perla que anoche nos sentaste a la mesa. Tienes que haber estado loco. ¿Cómo cojones se te ocurre? Este es un hogar moral.

–Así que San Pablo, ¿no? –le respondo con ironía.

Como antes de anoche no dormí, me quedé dormido ayer a media tarde al empezar a leer unas lecciones de combate dentro de la ciudad. Las utilizaron los americanos en Berlín, y en Cuba me van a ser útiles. Sé lo que digo. Al contrario de lo que muchos creen, las milicias y el resto de la masa pro rusa nos presentarán batalla. Las leía además para sacarme de la cabeza el recuerdo de la hija de puta. Laurita, en cambio, no durmió, el bebé estuvo llorando toda la noche, cosa de la que me estoy enterando por mamá ahora a las ocho. La pobre, en su manía de temer por mí, ahora teme que Carla me haya pegado una gonorrea o una sífilis. Viendo la prisa con que estoy devorando el desayuno, me dice: "Te vas a atorar". Sabe que no quiero dar tiempo a que papá me agarre en la cocina y se ponga a interpelarme sobre el trabajo que no acabo de encontrar. Hoy ni estoy para discutir mi derecho a participar en la liberación de Cuba ni para que me vuelva a sermonear respecto a Carla y todo lo otro de ayer aquí en la cocina. Ya bastante es con el castigo de tener que estar aquí en Miami.

No puedo dejar de ser de La Habana, aquella galaxia donde, desde que la claridad del día entrando por la ventana te despertaba, te sabías (no te sentías, te sabías) una deidad en lo personal. Y te dirigieras a donde te dirigieras, de algún modo seguirías estando en tu casa. El Morro. El Prado. La Punta. El Malecón con su sinuosa travesía de atardeceres que he guardado como parte de lo mejor de mí mismo, Casablanca. (¿Te acuerdas?) Casablanca. Todo allí dice algo, significa algo, es parte de tu patrimonio. En aquella ceiba dijeron los españoles su primera misa. Ese es el antiguo Palacio de los Capitanes Generales. Aquí la Catedral con su plaza de adoquines. Humilde como él mismo, en esa casita humilde nació el Apóstol José Martí. Esas ruinas, bien lo sabes, son restos de la muralla que protegía la ciudad de corsarios y piratas. En este tramito de aquí mataron a Trejo cuando Machado. Y por lo que se dice, en ese edificio gris de ahí vivía Ana Gloria antes de empezar a bailar con Rolando. En Londres, en París o en Roma sería igual; irías asociando hechos e ideas al pasar por la Vía Apia, al caminar desde el Arco del Triunfo hasta la Plaza de la Concordia, al desaparecer a medias en la niebla de la Plaza Trafalgar. Y protege, Carla, acompaña, integra al viajero a la ciudad el sentirse pisando el suelo que pisaron los arquetipos de su infancia, eleva el alma saberse contemplando la piedra, los monumentos que han existido siempre, que van a existir siempre porque están en tu cultura, en tu corazón, en tu eternidad. En el Miami de nuestra llegada, en cambio, estuvieras donde estuvieras, estarías frente a la Nada. Miami no estaba en la Historia. En ninguna calle suya había ocurrido nada. Miami era entonces una ciudad demasiado nueva para tener historia y en las partes viejas tampoco la tenía por ser nosotros allí los demasiado nuevos.

Ese fue en lo psicológico, el drama mayor de aquellos primeros tiempos. Un drama sordo que se incuba con violencia en el corazón, que llega a hacerte dudar de tu propia existencia. Nada de lo que ves tiene sentido. Eres un extranjero en un planeta inventado ayer mismo. Un planeta donde ya no eras el turista. El Miami que fuera un día el anuncio en la revista *Bohemia*, la valla en las carreteras, la tarjeta postal que se envía a los amigos con la vista de grandes hoteles, un pedazo de playa azul; el paraíso alucinante donde todo era posible, las tiendas inmensas donde solíamos llenar las maletas al entrar el verano, en fin, el cielo a donde se va los domingos.

No, ni este Miami es el de antes, ni nosotros los de entonces somos los de ahora. La película ha terminado. Y continúa Miami pasando por tu lado dando miedo con su mudez inmutable, parecida a una cinta de ciencia ficción en la cual unos terrícolas extraviados buscan con su nave el regreso, y no sabes, no sabes dónde está ahora Miami: si está en Estados Unidos o está en el sitio más desolado del espacio.

Intentas abrir puertas empujando con el corazón. En vano. No hay puertas. Miami es una ciudad habitada por espectros. Nadie en ella se conoce y a nadie le importa nadie. Todo lo que antes llenó de codicia los ojos del turista ha cobrado una vida monstruosa. Del cielo caen vigas, escaparates, *penthouses* enormes que ningún corazón resistiría. Cuando al fin te quedes sin un centavo, desaparecerán en los establecimientos las últimas sonrisas. La ciudad quedará sumida en la más profunda oscuridad. Te sentirás entonces más solo que el primer hombre. No hay callejones en la memoria que puedan salvarte, escaleras de incendio por donde huir. En Miami nada conduce a ninguna parte. Y tiembla el recién llegado que éramos entonces, no se resigna a imaginar para sí un destino de extranjero eterno en un planeta acabado de inventar.

Inspirado con estas ideas, al pasar por lo de Cheo, juego el 18. El versito de la charada decía: "Huequito que hiede mucho". El punto, por supuesto, pensará en el bollo, que en la charada china es el 35. El pescado también hiede, me digo, y anoche soñé con un pescado que por chiquito lo tiraba de nuevo al mar mientras revisaba la lancha que nos trajo de Cuba. Por si acaso, también le puse algo al chivo, y al pescado grande, los dos con pase para la Bola y combinaciones de parlés con los tres. Quién sabe. Si no recobro hoy algo de lo que en estos días me he jugado, no podré seguir jugando. El empleo que busco sigue sin aparecer.

La última esperanza había sido el doctor Concheso, a quien tenía por gerente de la Camaronera. Pero allí ni lo conocían. "¿Cubano?", dice pensativo el guardajurado después de buscar en el registro de personal: "Puede que esté aquí pero trabajando con otro nombre, nunca se sabe con esta gente". Juzgándome americano por mi pinta, me deja pasar a buscar por mí mismo. Pienso en el infierno al verme allá adentro, metido en aquel lugar húmedo, fétido y caliente. El procesamiento de camarones frescos es muy artesanal. Por efecto del vapor, en la sección de envasado parece estar lloviendo desde que hicieron el mundo. A donde te vires verás canales vertiendo agua en interminables artesas. Por fin diviso a Concheso, metido hasta la cintura en una artesa llena de camarones debajo de la cual corre el agua. Está en camiseta, un gorro blanco le cubre la calvicie, batiendo en la artesa con una paleta o sacando algo con una pala pues el espeso vapor no deja ver. Según me acerco las escamas que lo cubren lo van haciendo brillar como un pez muy blanco. No cree que pueda interesarme trabajar allí, ni él podría asegurar que el dueño me aceptara a menos que esté muy urgido de mano de obra. Las condiciones como puedes apreciar, me decía, son malas, y el salario, peor. A los negros americanos les pagan la mitad del salario de los blancos, y a los cubanos nos pagan la mitad del salario de los negros. En esto, se acerca el dueño. Negado a aceptar explicaciones, manda al doctor Concheso para la caja:

–Vaya a que lo liquiden. Aquí se viene a trabajar –le dice.

Ni tres minutos llevábamos hablando.

Repasando este percance, duplicación en cierto modo del experimentado el día anterior en la fábrica de sillas de aluminio La Siberia, o que le llaman La Siberia, los cubanos de aquí porque queda en las inmediaciones de los Everglades, doy con Polifemo. Entalcado, como siempre de traje y chaleco y en buena forma física, no obstante andar ya por los cincuenta. Se sabe que en La Habana, donde era propietario de un edificio de catorce apartamentos, lo visitaban hasta celebridades de Hollywood. Ahora, a la distancia de los años, me río, pero entonces todo fue muy serio. En uno de esos prontos míos, se me ocurre proponerle la lancha. Estaba al vencerse su decomiso y papá se negaba a darme dinero para el rescate. Había oído decir que Polifemo y su mujer, él por negro y ella por blanca, se veían obligados a residir en partes diferentes de la ciudad. Tenían una hija con quinto año de piano, bachillerato terminado y un inglés y un francés bien aprendidos, pero que por no convencer por su color tenía que vivir con él del lado de los negros. Adecuando la lancha, podrían vivir ustedes tres, le digo.

–Pero yo no soy marinero –dice Polifemo asombrado.

–Ni falta que le haría. La lancha permanece amarrada al muelle. En Hong Kong muchos viven así. Además, son cuatro días.

–¿De cuáles cuatro días me habla usted?

71

Más incrédulo no podría haberme mirado.

–Cincuenta que fueran. También pasan volando.

–Todos pasan volando, pero no se haga usted ilusiones.

Yo viví lo de Machado, tenía entonces la edad que tiene usted ahora y los vi llegar con sus acorazados y deponer el gobierno de Grau porque Guiteras les daba miedo. ¿Por qué en esta oportunidad no lo han hecho aún? Porque Rusia les puso allá arriba una perra y dentro de poco les pondrá también un hombre y ellos lo saben. Por eso en Guatemala con Arbenz actuaron enseguida y ahora en Cuba lo están pensando todavía. Así que a esos cuatro días de su ilusión póngale usted cuatro millones más.

–Razón de más, entonces, para que piense en la lancha, en su hija.

Me observa con ojo clínico en busca de un rastro de sinceridad.

–La idea no es mala, caso de estar bien el estado de la lancha. Pero me niego a que me elijan dónde vivir. Eso me corresponde hacerlo a mí. Y es el derecho que ustedes no han sabido hacer valer aquí para los de mi raza. Guiteras habría empezado por ahí. Lo primero es no dejarse coger la baja, nos decía tocándose la sobaquera por encima del traje.

Por supuesto, me interesa venderle la lancha, pero no montarme con él en un tren equivocado.

–Todos aquí estamos de favor. Y aunque ni así fuera. Usted no puede llegar a casa de quien lo ha alojado por unos días a cambiarle sus leyes. Vea lo de la lancha como una oportunidad y olvídese del pasado. En Nochebuena todo el mundo estará Allá. Por lo pronto, piense en su hija.

Miraba el reloj de leontina que pendía del chaleco, muy caballero a la antigua. Sólo le faltaba el bastón, porque sombrero tenía. Esperaba un auto negro que sin darnos tiempo a terminar la conversación pasó a recogerlo con un chofer de gorra blanca.

–Bueno –me decía en ese momento–, si la cosa es tan provisional como usted dice, entonces tal vez ni tengamos tiempo de cumplir con las formalidades legales de la compraventa. Mucho menos con las de reparar la lancha, pintarla y acomodarla para vivir en ella. De todos modos, le prometo pensarlo.

Y ya desde el auto:

–No sé qué pueda decir mi señora.

Con esta improbable esperanza sigo vagando por la ciudad. No soy yo en realidad quien vagabundea. Es otro el que se hunde en estas calles lleno de la melancolía de aquel Miami: el antiguo, el Miami del viajero, el del turista que fuimos. El Miami que nos borró la revolución que borraríamos tan pronto los americanos se decidieran a convoyarnos. Espíritu había, faltaba el apoyo de esta gente, el mismo entusiasmo con que los rusos y los chinos estaban apoyando con pertrechos de todo tipo e ideologías extrañas a los de Allá.

Pensar en esta meta me levantó el ánimo. "¿La revolución?", dije. ¿Que nos borró "la revolución"? La contrarrevolución. Pues aunque aquí en Miami odien la palabra revolución, es aquí sin embargo donde en realidad está la Revolución. La Revolución con mayúscula. En Cuba la Revolución pasó ya y lo que hay es todo lo contrario a los ideales de la democracia, presentes desde la Carta de Guáimaro de 1869. Por defender esos ideales estábamos aquí. De modo que mientras no logremos restituírselos a Cuba, voy a seguir considerándome un hombre de Guáimaro, un seguidor de Agramonte, un soldado de Céspedes, es decir, un revolucionario.

Caramba, esto podía dar un artículo periodístico. Por polémico, que es lo que se busca en los periódicos, siempre hallaría un editor deseoso de publicarlo, me echaría unos dólares en el bolsillo y empezaría a abrirme espacio en la vida política de Miami. Embargado por este nuevo propósito, dejé de pensar en buscar trabajo. No es que perdiera las ganas de hallarlo, es que ni idea de a dónde ir a buscarlo tenía. En el Club de Caza de Tamiami Trail, por donde días atrás empecé a buscar, están completos. No obstante, el asistente del gerente principal, que me conoce de La Habana, me tomó los datos. Tal vez en la próxima temporada, me dice con simpatía. En el invierno del año que viene estaré en La Habana, le digo, ya viéndome llegar en mi Porsche todas las tardes a El Carmelo de Calzada y yéndome con una jevita acabada de sacar del celofán, y a la tarde siguiente de nuevo a buscar otra igual, y así durante todas las tardes del mundo mientras el mundo siga girando y el palo me acompañe, pues las jevitas no se agotarían. Coristas, actrices en busca de papel, muchachitas audaces liberadas de la terrible chaperona o que por ser de provincias podían darse el lujo de andar por la capital sueltas como el ganado. Las posteriores al ′59 iban a aquel templo con aires de restaurante y cafetería que era El Carmelo a perder su zapatico. Diecinueve de las que yo conocía se casaron con rebeldes, de aquellos que todavía traían en la mano el cayo que les dejara la mancera del arado de toda una vida y se deslumbraron al ver en La Habana jovencitas recién salidas de la adolescencia que aún conservaban todos sus dientes, no tenían barriga y olían a rosas con algo de confituras de importación.

Aquí, hasta para lavar platos, le había oído decir a América, que ya se conocía Miami al revés y al derecho, estaban completos los americanos. Hasta podría el polémico artículo de mi esperanza, abrirme las puertas de una nueva profesión. En estas, llegué al Walgreens de Flagler. Era el sitio donde acostumbrábamos a reunirnos los cubanos, el lugar donde encontrarse, donde cambiar impresiones con los conocidos de antes y los que acababan de llegar con noticias de Allá, el lugar donde dejar recados, donde recogerlos, y a la vez, era una especie de cátedra de asuntos políticos, muy a menudo con algo de ring de boxeo.

El debate de hoy por la mañana no es nuevo, pero traerá sangre, dejará un discapacitado de por vida y sanciones de cárcel. Se trataba de establecer si por fin los americanos eran maricones o se estaban haciendo. "¡Eso es lo que yo quiero que me contesten!", oí gritar a Alcober, cirujano muy respetado que en su sector fue uno de los primeros en pronunciarse contra Castro. Lo calé desde los tiempos la Ortodoxia, había dicho entonces, y ahora, tabaco humeante en mano y los cuatro pelos rubios que le quedan muy erizados, está diciendo que para él no tienen importancia los campos de entrenamiento en Centroamérica de que se viene hablando como se hablaría del Cielo puesto que no conoce a nadie que haya venido de allá a confirmar su existencia. Tampoco cree en los alzados del Escambray. El ex senador Ruiz Báez le hace ver que los americanos les están tirando armas para rebelar un continente.

–Aunque así sea. Matando un comunista hoy y otro mañana no se resolverá eso.

–Pero eso también es como enviar marines.

Carlos Rodríguez el de "Rodríguez y Rodríguez" importadores de víveres y licores finos, contesta enseñándole el puño con el dedo del medio levantado. Es un cuarentón largo que sin ser vasco encestaba todavía a mediados de la década de los ´50 trepando como un ninja por las paredes del frontón. Y por si Ruiz Báez no hubiera entendido lo del dedo, agrega definitivo Rodríguez:

–Mira ¡ésta! –y se la toca.

–Por Dios, señores –interviene Arboleya con toda corrección–, déjense de esas cosas. Después de todo, los americanos saben lo que hacen. Por algo son los americanos.

–Aparte de que terminarán yendo para Allá –comenta el padre Rosendo, siempre de rosario en la mano.

Pero Rodríguez ha enrojecido.

–¡Fantasías, Padre, fantasías!

–¡Dejadlo hablar, oíd la palabra de Dios! –se escucha entonces decir majestuoso a Conte Agüero, que acaba de llegar (y como diría papá años más tarde, tan buen orador que ni trayéndole los de Allá a Eusebio Leal).

Hombre de academia y conferencias, tenía Conte Agüero ideas sobre la historia de Cuba que no dejarían de ser interesantes para quienes se ocupen de esa disciplina que tantos huesos hubo de romper entonces.

Rodríguez vocifera con ganas de hacerse oír hasta en el cielo:

–¡Ahora está Rusia de por medio! ¡Armas, petróleo, lo que sea! Ahora hay que mamársela a los rusos. Y a los chinos –agrega en tono profético.

–Disculpe usted, señor Rodríguez –tercia Arboleya de nuevo con toda corrección–, pero hoy le veo a usted muy escéptico.

–¡Y yo lo veo a usted muy comemierda!

Ya días antes, Rodríguez había dicho que le fastidiaban los aires que se daba Arboleya con sus espejuelos de montura gruesa, su modo de levantar la cabeza para hablar y sobre todo su cuello largo y su nuez desmedida. "Nunca he soportado los hombres de cuello largo", había dicho encabronado, y menos con esa pelota de golf atravesada en la garganta. Le recordaba un gallo que ha perdido la pelea, un aura tiñosa sacándole las tripas a un muerto. Y enloquecido, continuaba ahora Rodríguez golpeando sin parar la esquina de la vidriera con la cabeza de Arboleya. En ese momento siento algo duro en la espalda al tiempo que me dicen: "La bolsa o la vida". Me vuelvo a medias y eres tú, Carla, fingiendo voz de matón mientras me apuntas con un dedo.

Bajo una lluvia de objetos volantes te saco agarrada por un brazo del titingó que de un minuto para otro se ha formado. Estamos en la otra cuadra y aun te sigo arrastrando por un brazo. Es un feliz sobresalto, un nudo suave en la garganta, tal vez una mano tibia sobre el pecho; no se sabe. Reparo entonces en que han llegado policías, carros patrulleros. Nos abrimos paso a través del gentío acumulado en la acera. El tráfico se ralentiza. De todas partes sale gente corriendo, asomándose a ver. No has desayunado y hablas de tomarte un jugo de tomate.

–¿Y usted es comemierda? –se le encaraba en eso un cubano a otro en la esquina de Biscayne y la 2 del Northwest, entre cosas de uso, fotos de La Habana, canastas con girasoles, cajones con dulces, en fin, el baratillo de la calle Monte armado aquí y que como por arte de magia desaparecerá, se hará invisible, al llegar la policía velando por el ornato. Los que se habían alejado, regresan ante el encristalado de la acera, caminan de aquí para allá, comentan lo del Walgreens, le dan vueltas en el dedo al llavero, algunos sacan el peine y se retocan en el reflejo de la fachada.

Las voces se mezclan, se superponen. Quisiera estar solo contigo, decirte cosas. Pero esta cafetería es una colmena, un avispero, llega uno a sentir la opresión causada por la multitud en un estadio. Pienso en el parque, tan cerca; imagino árboles, lugares donde acostar tu cabeza sobre mi pecho para sentirla sonar como un caracol.

El viejo que está en la banqueta contigua a la nuestra continúa con el dedo metido en el vaso dándole vueltas al hielito de la Coca Cola mientras habla con otro viejo y a través del espejo nos mira. Las voces continúan superponiéndose. Uno por allá dice que a él se la toca Ventura. "¿Silvia? No, hombre, no, Silvia nunca fue señorita". Atrás de nosotros, hablan de lo del drugstore. Discuten quién tenía razón, si Rodríguez, si Arboleya. Parece ser que el cabo Jovellanos había torturado a Marcial durante la tiranía y ahora Marcial se aprovechó en el Walgreens para partirle el cráneo. Otro grupo, pero todo esto mezclado, discute si será verdad que la semana venidera abrirán el banderín para los entrenamientos contra Castro. El embullo en esto es general. Sorprendo en el espejo al viejo del dedo metido en el vaso dándole vuelta a los hielitos haciéndote señas. Son por lo claro señas para que salgas a verte con él. Me imagino que es el viejo que el día anterior te diera los quince pesos. Aunque blanco en canas, mirándolo bien, no es tan viejo. Y eso ha sido el horror. El asco brutal que revuelve el estómago, el sentirse uno caer desplomado sobre sus propios zapatos. Nada de esto se olvidará nunca y empiezo a asesinarte pedazo a pedazo, hija de puta, a arrancarte brazos, piernas que voy depositando en los latones de basura del barrio para que se los lleve el camión de la basura. Seco sin embargo la lágrima de furia que me invade, que me acribilla el corazón, que lo cercena. Ya habrá tiempo bastante para llorar. Ahora que mi alma ruede con tal de tenerte, que mi vida se hunda en las calderas del infierno. Nada me importa ya, ser contigo el esclavo sumiso, la porquería que rueda despedazada entre el torbellino de los ómnibus, la hoja de papel después que todo el mundo se ha limpiado con ella. Todo esto es muy viejo, la suerte está echada. Lo he comprendido ayer por la mañana acostado en el cuartico del infierno mientras contemplaba una franjita de sol llena de punticos en movimiento. Y hago por olvidarme de la seña que le he visto al viejo hacer mientras con un dedo de la otra mano seguía dándole vueltas a los hielitos. Claras señas de salir a singar enseguida. A singar por lo claro.

Le pongo atención al comentario sobre los heridos. Los detenidos han sido un montón, con Arboleya no se sabe lo que puedan hacer los médicos, a Rodríguez lo desbarató la policía en el suelo pues se volvió un animal resistiendo. Al padre Rosendo le zafaron un brazo. Continúa llegando gente con noticias, entre ellos llega uno con una camisa azul que sin duda te conoce y también te está haciendo señas con la lengua según veo por el espejo. El doctor Paneque felicita al cabo Sacauñas y le pide al viejo que te hacía señas que lo ayude con un par de dólares. Había permanecido detrás de él, esperando la oportunidad, con los ojos fijos en el dedo que le daba vueltas a los hielitos en el vaso. Los dependientes ruegan de nuevo bajar la voz. Un par de brazos caen sobre tus hombros, desde atrás. Es Rocki, el hijo de Néstor, que en La Habana había llevado a cabo importantes acciones contra Castro en el sector eléctrico. Trae la cabeza ensangrentada y un ojo abollado, pero te está tocando una teta. Por lo visto todo el mundo aquí te conoce. Eres la mujer pública de Miami. La puta de la ciudad. El viejo del dedo en los hielitos del vaso dice que también Guiteras era bocón, y ya ve usted. Y vuelve el muy pendejo a hacerte la señita cochina. ¿Lo mato? ¿Me pongo en ridículo? Es el escalofrío, el asco feroz, la vida que se hunde entre la mierda. Casi el galletazo; la mano de furia que acostumbra a impulsar mi brazo. Como me has estado observando en el espejo, te aferras a mi brazo, me dices con prisa que por favor. Ya al salir, te anticipas, me dices que no hable, que no pregunte. Lo dices con tristeza. Y te quedas en silencio con tu bolsa de playa al hombro, los ojos muy empañados, pero sin lágrimas.

Estamos acostados boca abajo sobre la arena de Crandon Park, apretados los cuerpos, dándonos la lengua y cubriéndonos la cara con los brazos. Me encaramas una pierna sobre las piernas. Te la quito pero la vuelves a poner. La gente nos mira, los salvavidas. No tanto por lo buena que estás como por las marcas que como una estela de lujuria te cubren.

–Acuéstate encima de mí.

–¿Estás loca?

–Cobarde.

–Saca la pierna te dije.

El sol arde en lo alto, un sol ligero con grandes períodos de sombra. La mayor parte de los playeros continúa en los toldos, el resto anda en la cafetería hay muy pocos en el agua. Acaban de llegar unos japoneses con espejuelos oscuros y una pelota de colores. Las nubes se cruzan y entrecruzan en un cielo empedrado y descolorido. El aire continúa restallando los toldos. Ya el mar empieza a alcanzarnos los pies. Sigue allá abajo con su suave chapoteo y uno lo oye lamer dentro de uno. Es todo tan efímero, pienso mirando al mar borrar el deseo que acababa de escribir en la arena.

–¿En qué piensas?

Pensaba en las muchas vidas que tal vez he vivido. No sólo ahora en la presente existencia. Pues también este momento de ahora en la playa me era conocido, tenía la impresión de haberlo vivido con anterioridad. Un *deja vu*, digamos, semejante al experimentado antier cuando nos encontramos. Era un encuentro pendiente. Por eso se lo había dejado a Dios, no quería precipitarlo. Sabía que estabas en Miami y aunque me moría por encontrarte, a nadie le pregunté por ti ni salí a buscarte. Dejé que aparecieras. Pero de nada de esto te hablo. Me la estás agarrando con ternura por dentro de la trusa y no hablo.

No es el momento, y lo sé, pero necesito preguntártelo. Dices ríspida que no has llevado la cuenta.

–Pero más o menos.

–No puedo saberlo.

–Un cálculo.

–No sé, no llevo esas cuentas. Me los singo y ya. No lo anoto en ninguna parte.

¡Dios mío!

–Cógeme aquí, aprovéchame ahora.

–¿Y en tu casa lo saben?

–No lo he preguntado.

No sé si han pasado diez minutos o diez siglos.

–Y el primero, ¿quién fue el primero?

–No se lo pregunté.

–¡Carla!

–Fue en un bar. Me equivoqué de baño, el tipo que estaba orinando la tenía grandísima, le pedí permiso para vérsela de cerca y una cosa llevó a la otra. Para mí que era mexicano.

Sin saber si con odio o compadecido, pregunto al fin:

–¿Y por qué, Carla? ¿Por qué?

–Porque me gusta.

–Pero así, ¿por qué?

–¿Conoces algo mejor?

–¿Y por qué conmigo no?

–Porque es cuando yo quiera. Ahora quiero. Pero aquí.

Vuelves a tender una pierna encima de mis piernas.

–En el cuarto.

–Aquí.

–Iríamos presos.

–Entonces no tienes tantas ganas. Al mexicano del baño equivocado no le importó.

–Estaban en un baño.

–Del bar nos habían botado. Nos metimos entre dos autos parqueados, y todavía no se había puesto el sol. Lo de él era acabar lo que en el baño empezó.

–Suéltamela, que aquí no se me va a parar y me estás haciendo daño.

Te tapo de nuevo con la toalla una parte de los muslos y las nalgas. Qué vergüenza. No han faltado los que al pasar se han detenido a mirar la estela, el catálogo de marcas indecentes que eres de la nuca a los pies. Cada vez que te los he tapado, te los has descubierto de nuevo, incómoda.

–Me gusta que se vean.

Habíamos caminado por Miracle Mile hasta Douglas caminando sin hablar. Me tomas de la mano con firmeza y casi me arrastras por unas cuadras hasta la entrada principal del cementerio Woodlawn.

Avanzas buscando tumbas con los ojos.

–Por aquí está enterrado alguien que quiero mucho. –Señalas con el dedo–. Quizá sea en esta, o en esa, o tal vez en aquella.

Te arrodillas junto a una fosa.

–No es posible –digo–. Son tumbas vacías.

El viento te revuelve el pelo.

–Cada tumba viene al mundo con su difunto ya dentro.

No te entiendo, pero me callo.

–¿Por qué no aprovechas y miras a ver si la tuya está por aquí?

Señalas un poco más allá.

–¿Qué te parece aquella?

–Vámonos. No me gusta este lugar.

–Es maravilloso.

–Es horrible.

–Es bellísimo. Obsérvalo.

Señalas una hilera de tumbas recién cavadas.

–Parecen perros, echados ahí con la boca abierta, aguardándote desde que empezó la vida –y añades, sonriente–: Pero ni aun los perros suelen ser tan leales.

Te cruzas el índice sobre la boca. Avanzas un trecho por el sembrado de tumbas abiertas. Regresas despaciosa, leve, los ojos lilas como nunca, de tumba en tumba.

La voz se te ha nublado.

–Si yo supiera a qué velocidad se muere en Miami te diría con exactitud cuál es la tumba que busco. Pero, por mis cálculos, bien podría ser ésta –señalas de nuevo la tumba que antes indicaras.

Te arrodillas junto a esa tumba, tomas un puñado de tierra y lo besas. Me erizo. Te guardas otro puñado en la cartera.

–Vámonos, Carla.

Arriba el sol se ha apagado.

–¿La encontraste?

Guardo silencio. Vamos de la mano, las cabezas caídas.

–Es una lástima.

–Mi tumba está en La Habana –digo.

–La mía también.

Media noche.

Hemos caminado la ciudad de punta a punta. Antes, insististe en cruzar el Rickenbacker para arrepentirte casi a la mitad. Por fin llegamos a la casa. ¿A la casa?, ¿dije a la casa? Ha sido todo un andar de almas en pena que no termina, y ahora dices que preferirías haber ido a ver las palomas.

–Pero elegiste playa y cementerio.

–Elegí mal.

Te me cuelgas del cuello.

–Prométeme llevarme mañana.

–¿Llevarte? ¿A dónde?

–A ver las palomas.

Entramos al cuarto.

Es tan chiquito como el de anteanoche y huele a rancio, pero al menos tiene un ventilador de techo. Cartones pintarrajeados hacen de paredes: Fidel Castro con la cabeza cortada, dos letreros de "Abajo el comunismo" y "Bolberemos". Y el dibujo no mal hecho por cierto de una morronga con labios de mujer y el pelo suelto. Ese es el cuarto. Has comenzado a desvestirte. Yo también me desvisto.

Otra vez tus nalgas. Con chupones, es verdad, pero tus nalgas: brillando bajo el bombillo lúgubre. Entro en la cama lleno de odio y a la vez de perdón. Pero nada. En vano. Ni con ternura ni de la otra manera. Y no sé, no sé. Fue como estar muy bebido. Cuando vuelvo a tomar conciencia de mí, tal vez porque no me he atrevido a pegarte, o a matarte, te tengo fuera de la cama agarrada por la trenza y te estoy meando con un chorro estremecedor. Lo veo caer poderoso, capaz de perforar. Vuelvo a pasártelo por la cara, por la cabeza, por las tetas, hija de puta, maricona, a todo lo largo de la trenza, lo veo brillar, hacerse espuma y luego vapor al dar sobre tus chupones, sobre tus mordidas indecentes que obsesivo he estado meando una por una. Sin embargo el gusto que te estás dando debajo del chorro –aunque sea un gozo falso, simulado, según creo entonces, una ficción interesada dando tiempo a que llegue la policía en vista del escándalo que has causado en una casa que parece estar siendo sacudida por un terremoto– tiene un poder tan irresistible que cuando vengo a darme cuenta ya no te odio y te tengo clavada ahí en el suelo donde ya el orine empieza a enfriarse, hundido hasta el fondo en tu cuerpo, metido dentro de ti para toda la vida, perdido en tu galaxia, indefenso y brutal, embistiendo con la furia de un mastodonte, y tú estás jadeando y pidiendo que por el culo también, que por el culo, que no me vaya a olvidar del culo, por lo que yo más quiera... En tanto, no ha cesado el bombardeo de objetos por encima del tabique. Ni han parado las maldiciones, los insultos. Pero yo ahí, sordo. Perdido en mi nube. Que caiga la puerta, que traigan los bomberos, que vengan con Eisenhower en persona, cojones. En ésas, el cielo se abre, la tierra se hunde, estoy a la derecha de Dios, quizás a la izquierda del diablo, no se sabe, no se sabe, quién lo sabe, pierdo la noción, la memoria.

El tiempo se reanuda. Estaban los pájaros y un toro amarrado que se ha muerto en el pecho. Quedan los pájaros. La lila humedad de tu rostro. Estás tan suave, tan dichosamente destruida. De ser con otra, enseguida estaría odiándote, te habría dado la espalda. Estaría inventando la manera, un dolor de cabeza, las muelas, algo para ponerme la ropa y perderme. Pero contigo es al revés y permaneces debajo de mí. Yo sé que es el silencio pero oigo música. Todo esto es muy peligroso. Pero ahora no pienso. Sencillamente ahora te amo, me dejo arrastrar. Han pasado las furias y te acaricio el pelo. Perdóname, perdóname.

–No tiene importancia.

–No me lo perdono.

Te aprieto contra el alma.

–No seas bueno ahora, quiero odiarte.

No te entiendo, pero te amo. Te digo palabras de cariño y empiezas a sollozar. Te me vas enredando como un pez por dentro. Al despertar te encuentro dormida con los labios aferrados a mi frente, mi cabeza amanecida entre tus manos. Ya sé que tendré que volver esta noche. Y mañana. Y todas las noches del mundo. Aquí empieza la adicción.

A la mañana siguiente te acompaño a la Gibson; la iglesia no está mal. Tenías razón. A pesar de la gran cantidad de refugiados llegados ayer, hoy la cola apenas tiene media cuadra.

Al fin entramos.

Nos conducen al lugar. Qué vaho. Qué peste a grajo. Gente amontonada, apretujada. Las tarimas dispuestas en hileras. Por aquí los hombres, por allá las mujeres. El olor a naftalina. Vestidos. Chaquetas. Calzoncillos. El pasa pasa. El repellón. Los pechos inclinados sobre las tarimas. Ropas que se levantan. Narices encogidas. Dos o tres conocidos de La Habana. Ni siquiera saludan. Uno en cierta forma se avergüenza de estar aquí. Pero ésta Carla con sus cosas... Pensarán que yo también he venido a buscar. Después de todo, esto conviene a la política del viejo. Primero alquila la mitad de la casa, luego ven al hijo en la Gibson. Se pondrá de lo más contento.

–¡Mira esto! –Enseñaba una mujer a otra–. ¿Para qué donarán esta porquería?

–Y agradécelo después... –contesta la otra.

–¡Quiénes se creerán que somos!

Las manos. La apretazón. El grajo. Las voces.

Carla ha visto una chaqueta que parece en buen estado. Al tomarla, otra mano la toma al mismo tiempo. Forcejean. Levantan la vista. Sonrisas. Es Petra, una antigua condiscípula de ella en el Sagrado Corazón. Carla dice que ella la vio primero. Petra dice que no, que fue ella. Mantienen la sonrisa pero ninguna de las dos cede. Se apagan las sonrisas. Se cruzan palabras duras. Carla suelta. Petra se va diciendo que tanto lío por una mierda. Se lleva la chaqueta. Mejor nos vamos. No sirvo para esto. Parecemos buitres. Detrás de nosotros una señora dice que esto pasa por ligar las donaciones.

–Debieran poner dos tipos de locales. Somos cubanos, pero no todos los cubanos somos iguales.

Una gorda de vestido estampado se le encara.

–Si le molesta no venga.

–¡Jesús…! –dice la primera mujer–, está visto que los americanos dejan entrar en este país a cualquiera.

El marido de la gorda interviene, le sujeta las manos. La primera mujer se envalentona, le mira la facha.

–¡No sé qué pueden haberle quitado a usted!

–¡La libertad! –chilla la gorda del vestido estampado que el marido retiene–.¡La libertad!, ¿Le parece poco?

La primera mujer no responde.

Carla ha logrado conseguir una saya, unos US Keds rojos corte bajo y otras dos piezas. Nos vamos.

Ha pasado una semana. Ayer se nos venció el cuarto. Le dije esta mañana al doctor que hoy le traería el dinero. Carla dijo que ella lo conseguiría. Pero no. Mientras estés conmigo estás conmigo y con nadie más. Ya sé que lo harías porque me quieres, mas no me quieras de esa manera. Hemos sido tan felices en estos pocos días. No eres mala, lo sé, no es necesario que me lo expliques. No acostumbras a explicarte, pero tampoco sería necesario. Sencillamente algo te pasa. Todo ha sido tan brutal. Quién sabe si llevándote al psiquiatra. Además, contigo vuelvo a sufrir, amor mío; a ser triste, como antes, como entonces. Yo tampoco he sido malo, Dios lo sabe. A veces siento que el corazón no me cabe en el pecho. Esto hay que estar dentro de uno para saberlo. En ti me reconozco, me encuentro un poco a mí mismo. En horas como éstas pienso que somos casi la misma cosa, llegados del mismo dolor, con igual misión. Otras veces estoy de mal humor y entonces creo estar saciando un viejo sueño, llevando la ropa de un muerto, usando algo que en otro tiempo fue importante porque estaba distante, lejano, imposible. No sé. Todo esto es muy complicado. También pasa que aquí sin mujer es más difícil y esto es sórdido pero tú eres económica. Pero quizás no. Desde que me recuerdo, me he pasado el tiempo amándote las nalgas, pendiente de tus tetas, de tus ojos. Sin embargo, tal vez esté haciendo un papelazo. Se me ha visto demasiado contigo. Todo el mundo aquí sabe quién eres. Mis amigos, es decir mis conocidos de antes, han de estar arrancándome las tiras de pellejo. Pero eso en definitiva me importa un carajo. Hoy cada cual está en lo suyo. Cuando el mundo se derrumba es preciso vivir como se pueda. Uno se pasa la vida sin pensar y de pronto comienza a hacerlo. Entonces uno se vuelve peligroso. Descubre que sólo hay dos caminos: el de la vida y el de la muerte. Ellos imponen las reglas, uno las cumple. Y si la vida cambia, uno cambia con ella. Ahora el honor consiste en sobrevivir.

Era nuestro tema ayer en el Woodlawn de Coral Gables. Lo visitamos casi todas las tardes. Allí, dentro de una fosa, como te gusta hacerlo sobre todo si están enterrando alguien cerca, me decías, rectificando lo dicho en nuestra primera visita al lugar, que mi tumba no sería esta ni aquella ni la otra sino la que me toque. Nos preguntábamos sobre la vida y la muerte. Te volvías a poner el blúmer y arriba el viento silbaba y la trenza se te llenaba de tierra. Las sombras se alargaban. Como me había quedado pensativo, dijiste que eso no debía preocuparnos. Pero que si alguna vez la reconocíamos debíamos serle fiel, pues por nosotros esa tumba había estado abierta todo el tiempo; llena de nosotros desde siempre.

Mientras le doy vueltas a esta tesis, buscándole la arandela suelta que le sentía sonar por alguna parte, tocan en la puerta. Pregunto que quién. Dicen que el doctor Ramírez. Despierto a Carla. Anda, ahí está tu padre. Dile que entre. Vuelve a cubrirse la cara con la almohada; sigue de espaldas, una nalga fuera donde ya apenas se podría adivinar el trasunto de una vieja mordida. El doctor entra. "Quiay", me dice. Se sienta a los pies de la cama. Con un canto de la sábana cubro la nalga desnuda. El calor se siente a pesar del ventilador. Fuera la bulla es insoportable. El pasillo siempre atestado. Fogones. Tablas de planchar. El cruza cruza. Los cubos de agua. Las palanganas. La cola en el baño. El mundo entero en el pasillo. Mira esta carta: lee.

Préstame un poquito de sal. ¿Verdad que zurciéndola se vería bien? No importa que nazca ñato si respira bien. ¡Callen a ese niño, cojones! Parece que falsificó un cheque, ¡Ay niña!, eso no es hilo negro ni jabón que se gaste. Esta mierda que da el Refugio, ¡miren, miren esto! ¡Bah!, pero si ella se los ha estado pegando desde que llegaron...

"Cinco días hace hoy que tu madre no aparece", se queja el doctor Ramírez. La nalga ha vuelto a quedar fuera, mira al doctor fijamente. Le ve la facha. Está peludo, no se afeita; el cuello de la camisa blanca percudido, la corbata llena de manchas. En otro tiempo el traje debió de ser negro, ahora no se sabría. Y el tic. El tic en el cuello. Es un Carlos Prío en la desgracia, piensa la nalga. Lo ve agarrarse las manos una con la otra como para evitar que se caigan; los ojos a dos metros de las cuencas. Ay Castro, Castro, qué poco te queda. "¡Cinco días! ¿Qué te parece?". La nalga dice algo con los hombros pero no se le entiende. El doctor mueve más el cuello, hunde más los ojos. "¿No te preocupa?". La nalga vuelve a sacudir los hombros. "Otras veces ha estado hasta una semana, ¿no?". El doctor se para, va a la puerta, se queda de espaldas. La nalga lo contempla. "Te digo que se está extralimitando". La voz de la nalga es pastosa, cansada. Observa al doctor, lo ignora. "Es joven, tiene que vivir su vida". El doctor se vuelve. La nalga lo ve levantar las manos engarrotadas a la altura de los ojos, sostenerlas. "¿Y la mía?, ¿y la tuya?, ¿tiene que destruirlas?". La nalga es sorda debajo de la almohada. Sorda. "Aquí nadie destruye a nadie; cada cual escoge por sí mismo y se destruye si quiere". Su voz sigue llegando desde otro tiempo, desde el otro mundo. El doctor tiembla dentro del traje. La nalga no le quita el ojo de encima. El doctor habla. Acusa a la madre de la nalga. La acusa. La nalga dice que a ella no le importa. El doctor se vuelve con las manos crispadas sobre el pecho. Dice que su mujer es una puta. "Y tú, ¿por qué no te matas, cobarde?". El viejo cae de nuevo sentado a los pies de la cama, echado a llorar, la cara entre las manos. La nalga dice que va a vomitar. Ni una sola vez Carla se ha vuelto a mirar al padre, sólo la nalga ha permanecido atenta, fosforescente. El padre pide un trago, cualquier cosa, lo que sea. "No tenemos", le digo. "¿Tres dólares?, ¿pudieran prestarme tres dólares?". Hace días que no tiene pacientes ni hace nada, dice. La policía vigila. La nalga dice que no tiene dinero, que salga por ahí a asaltar a alguien. Ya con explotar a mamá es bastante. El viejo la acusa de puta a ella también. La nalga se saca la almohada de la cara, salta en cueros sobre la cartera colgada en el tabique de plywood. Ha sido como una ráfaga, como un relámpago. ¡Toma! Le entrega dos juegos de vistas de Polifemo en cueros en tercera dimensión. ¡Véndelos! Salto sobre las cuatro manos, sobre los dos relámpagos. ¡No!, ¡no! ¡Eso no! ¿Dinero no es lo que él quiere? ¡Pero eso no, Nalga! ¡Eso no! Las vistas caen al suelo. El viejo se desploma de espaldas atravesado en la cama, el brazo doblado sobre la cara. Tenga. Le meto en el bolsillo superior del saco tres de los cuatro dólares que me quedaban del premiecito que cogí con el 28. Me quedo con el último dólar. Silencio. La nalga se cubre con la cartera. Se ha dejado caer en el suelo, sentada sobre las piernas. Le ruega al doctor que se marche. El doctor tiembla. Yo les pido que se serenen. Pronto estaremos en Cuba. Todo esto parecerá entonces una pesadilla.

Me acuerdo con estas palabras del señor alto de los espejuelos en la cola de la Gibson, el que evitó que tropezaras con el enano que salía de debajo de una tarima. El viejo se pone en pie, llega a la puerta, quita la tranca, vuelve la cabeza baja, agachada. "Sí, dentro de diez minutos estaremos Allá", me responde. Tira la puerta. La nalga vuelve a ser una persona. "Quiere tener una puta que produzca y que no se acueste con nadie". Le digo que no sea dura. "Tú también eres un idiota". Discutimos. "Está muy bien que Castro gobierne en Cuba, está muy bien que los débiles desaparezcan, que los muertos se mueran". En sus ojos no hay odio, no hay nada: hay la muerte; y su trenza desnuda resbalando entre los senos. "Nunca te entenderé". "Tú nunca entiendes nada; vete, quiero estar sola". Eres una puerca, una malvada. Quizás estas sean las cosas que me atan a ti. Tienes algo que yo hubiera querido tener. Algo que nunca tuve y me volvió triste y quién sabe. Sabes enfrentar las cosas. Sabes ser dura. Mirar por la nalga.

Salgo del cuarto. Voy loco. El dinero. ¿Ya lo decidió?, me intercepta el doctor Jiménez en el pasillo. Es el dueño de la casa. Ya la semana anterior me pidió que me afilie a su organización. "Vea: es una de las más importantes", me ha dicho entonces. "Ya tenemos trescientos miembros. Ahora estamos recogiendo dinero para armas y aviones". Lo atajo. "Sí, sí, ya sé, pero debo pensarlo". "¡Cómo! Para luchar contra Castro y el comunismo no hay que pensarlo. ¿Usted no es católico? ¿No quiere volver a Cuba?". "Pero papá me ha pedido que no me afilie a ningún grupo". "Pero este es uno de los más importantes; le repito, lo presido yo". Se nos acerca la señora que nos abrió la puerta la primera noche. Trae una niña de la mano. "Mi señora". Ya nos conocemos, dice ella, todavía nos debe la puerta que hubo que romper. La puerta la rompieron ustedes, señora. "¿Por qué estás usando mi cama?", pregunta la niña. "¡Cállate!", la reprende el doctor. La niña se mete el dedo en la boca, baja la cabeza. "¡Usted no sabe los sacrificios que hay que hacer!", me explica. "¡Imagínese!, con lo que nos da el Refugio". Le pasa a la niña la mano por la cabeza. La niña se le abraza a las piernas. La mujer se apena muchísimo. "Es –me cuenta–, o fue, allá en La Habana, abogado con bufete en la calle Lamparilla. Civilista. Un civilista, igual que su padre. Dele usted mis saludos. Por favor, doctor, le suplico, si se lo encuentra por ahí no vaya usted a decirle...". "Por supuesto, despreocúpese". El recuerdo de La Habana ha humedecido los ojos de la mujer. Desprende a la niña de las piernas del padre y se la aprieta contra el pecho, le da un beso y vuelve a lo de la puerta. "Por lo menos páguenos la mitad", dice, pero el olor del arroz quemándose la hace correr a la cocina. "¿Se decidió?", me apremia ahora el doctor; Pero hoy me da lo mismo una cosa que otra. Además, he oído decir que en eso de las armas y aviones hay plata. Si he de vivir con mis propios recursos, deberé desde ahora ir asegurándomelos. Ya me las arreglaré para entrar en la junta directiva de la organización. Aunque por lo que se ve, este doctor no le ha de estar sacando gran cosa. Quién sabe por dónde empezó a numerar la membresía el muy cabrón. El hecho de que papá me haya pedido que no lo haga pudo también influir en que lo hiciera. Es ya un duelo lo que tenemos armado. Tampoco estoy seguro de poderle pagar hoy al doctor. El cuarto, no la puerta. Firmo. "¡Magnífico! ¿Ve?, ahora es usted el 301".

He estado en casa y papá me ha dicho que no. Mamá, igual. Laurita, como siempre, sin un centavo. Y de contra la discusión, la bronca. Papa no cede. Igual que en La Habana. Cuando se pone así, al terminar de descargar un camión de cojones completo, empieza con el otro, y si lo dejas, descarga un tercer camión. Me parece estarlo oyendo.

–¿No querías exilio? ¡Come exilio ahora, y acostúmbrate porque esto va para largo! ¿Me oyes? Y cuidadito con esa locura de ir a Cuba, porque si antes de que por fin te diera la locura por venir para acá no mataste a tu madre, ir para Allá la mataría sin que te quepa la menor duda. Recuerda lo que dijo el doctor Concheso. No lo olvides.

Locura, ¿no? Oírle decir eso me daba gracia. Locura gracias a la cual lo saqué de frente al paredón de fusilamiento como aquel que dice. ¿Matando a mamá? Matándola él, si vamos a ver. Sin negar en lo demás su magisterio, era amigo de olvidar los detalles cuando le convenía. Eso no tenía que haber sucedido. Pero él siempre tan callado, tan a lo militar. "Cuando yo te diga sígueme, sígueme." No señor, somos una familia, no un ejército. De haberle seguido yo en La Habana, estaría en prisión. Laurita y mamá, que no habrían resistido, estarían muertas. Pues fusilarlo les habría parecido poco a esa gente. Qué días, dios mío. Pero sobre todo, qué tres semanas aquellas viendo agonizar a mamá.

Todavía cada vez que siento el olor del café, vuelve él en aquel día que no pasa a estar hojeando por arriba el periódico *Revolución* de manera de tomarle el pulso al momento, llega de nuevo Leonora con el café humeante en su bandeja con tazas y cafetera para que lo sirva mamá, y vuelve Eugenia, que borda enfrente sentada en una comadrita, a comentar tal vez sin intención: "Léalo el caballero rezando para que hoy no le traiga malas noticias". Nada de particular al parecer en esa escena que a la larga iba a permitirme estar ahora, casi treinta años después, haciéndome aquel cuento a mí mismo, pues ni a mi hijos y nietos se los contaría; escena que iba a ser el comienzo de aquellos veintiún días que me mantuvieran hablando con Dios todo el tiempo, pidiéndole consejos, necesitado de desaparecer, de no haber nacido, de ser un ave, un gato. Así de simples son las cosas, y de complicada la escritura del Señor.

El brusco gesto hecho por papá con las manos al oír el comentario de Eugenia hace que mamá le derrame encima el café ardiendo que le servía, y fuera de sí enloquecida por completo, agarre a Eugenia por el cuello. "¿Estás comiendo mierda, Eugenia?, ¿Estás comiendo mierda?". Intercedo, papá también, con trabajo se la sacamos de entre las manos. Sin embargo, sorprendiéndome, papá regaña a mamá. Muy severo, la manda a disculparse, le recuerda que Eugenia lleva en casa veinte años, precisa que Eugenia siempre ha sido, y será, recalca, un miembro importante de la familia y que lo del café ha sido un accidente en el cual Eugenia no ha tenido culpa. No considerándose suficientemente excusado aún, va a la cocina a explicarse de nuevo con Eugenia, a secarle las lágrimas. Le ruega perdonar a mamá y termina abrazándola, todo así como si Eugenia en vez de ser una criada fuera su abuela y él, la Caperucita roja.

Haber hecho esa comedia ha de estar quemándole el alma y ni se atreve a mirarme ahora. Va y viene por la sala a grandes trancos con su tabaco, sabiéndose el animal más estúpido del mundo ¡Haber, carajo, regañado a mamá, a esa esposa a la que él, tan salvaje para otras cosas, siempre había tratado con la delicadeza con que se manejaría una reliquia muy preciada! Pero el miedo tiene eso. Hasta a un Einstein lo podría poner a comer yerba. En eso debería estar pensando él que tan lógico era. Porque si Eugenia no es la espía que él y mamá suponen, el exabrupto de mamá, por ser el primero en todos los años que lleva Eugenia en casa lo disculparía con creces un tomar de manos, sin necesidad de humillarse. Y si por el contrario fuera la espía, la infiltrada del G2 que él y mamá suponen, entonces este sorprendente, insólito trato en una casa donde tantos camiones de cojones ha oído ella descargar, la haría saberse descubierta.

Qué sólo, qué desamparado me sentí, Carla. De repente la inteligencia, y aun la hombría del padre que tanto había admirado, su osadía, el espíritu aventurero del ídolo que me llevara a cazar desde niño y a pescar y a montar a caballo, el padre que me enseñó a boxear y a remar y a navegar y a volar, mi maquinita humana con todas las respuestas, mi oráculo, mi héroe, mi dios personal, en fin, mi genio de la botella se me había derrumbado. Qué estafa, Señor. Pero sobre todo, qué miedo. Para no aullar, pero también dispuesto a aumentarle la auto humillación en que le siento metido mientras va y viene por la sala, me he puesto a cantar "Reloj", bolero de Lucho Gatica, tan de moda en esos años. Y él, que a su vez me ha leído el pensamiento, me sale con el aquello de que ojalá y yo hubiera estado en el exilio y yo le digo que ojalá, y él dice que sí, que ojalá, y yo le vuelvo a decir que sí que ojala, y por joder añado que después habría salido electo representante y después senador y después me habría enriquecido construyendo obras públicas para el gobierno y con el tiempo me habría declarado asqueado de la política y me habría dedicado a construir edificios de propiedad horizontal y a comprar tierras y casas, ¡y mierda, cabrón!, revienta él, interrumpiéndome, eso fue hace un siglo, cojones, y entonces yo no tenía un centavo que perder. Da pena ver lo que en un año le ha sucedido, pero a mí en ese momento no me da pena, y aprovecho para detallarlo ahora que lo he sorprendido al desnudo, ahora que he visto que no es el hombre que parecía ser. Se ha puesto viejo, amarillo, no duerme, la barriga le hace un pliegue, se pasa las noches caminando por la habitación con la luz encendida, si duerme sueña con el doctor Castro (como lo llama en público, en privado le da otro nombre), despierta en un temblor, hay que llamar al médico, le han caído encima todos los años del mundo aunque no ha cumplido los cincuenta, y ahí está saliéndome con que aquí, mal que bien, se vive, y yo le digo con sorna que sí, que se vive, y él dice que aunque nos lo quitaran todo teníamos para aguantar hasta que llegaran los americanos y yo le digo que sí, que aunque tenga uno que acostarse a las seis de la tarde y no tenga un club al cual ir y encima de eso tenga el señor de la casa que ir a disculparse con los criados que nos vigilan y abrazarse con ellos y darles besitos para no hacernos morir de miedo, y él estalla, empezando a descargar su primer camión de cojones, ¡pero comes!, ¡y vistes!, ¡y tienes un Porsche y una avioneta, y singas!, y yo le pregunto por el honor, y él a su vez me pregunta por la barriga y termina diciendo que qué puedo saber yo lo que es honor, cojones.

Desde el principio mamá ha traído una palangana con agua y jabón, le trajo una guayabera, le limpió el café con una toalla mojada mientras Leonela limpiaba el piso, y él, rezongando, se quitó la guayabera manchada, se puso la limpia y abrazó a mamá y la besó casi llorando. Le estaba rogando a Dios que se apiadara de mí cuando salió a atender a alguien que llegó sin antes telefonear. Mamá, que seguía sin salir del susto por lo sucedido con Eugenia y que en el mayor silencio nos había visto guerrear, viene a mi encuentro sollozando, me abraza, dice que lo estoy matando, dice que él está así como está por mi culpa, que él sabe lo que hace, que le dé un voto de confianza, y yo le doy un plazo, si en quince días no se deciden a irse, me iré yo, le digo que ya no aguanto el país ni la aguanto a ella ni lo aguanto a él, que los dos son un par de cobardes, y ella dice que me aguante la lengua, que me la corte, que papá sabe lo que hace, y yo le digo que sí, que sabe pedir perdón a los criados y sabe dejarse quitar hoy la tierra, mañana la publicitaria, después la constructora, después su participación en el Banco, y ella dice que nos quedan los edificios, y yo le digo que se los quitarán también y ella dice que cuando vengan los americanos los recobraríamos, que todo esto era muy provisional, y que en todo caso no podrán quitarnos el dinero y las joyas que tenemos escondidos y que yo lo veo todo muy negro, y que si no pienso en Laurita, que todavía Laurita no se ha decidido a dejar a Heriberto, y ahora, con el niño, y yo le digo que como no termine Laurita también metiéndose a comunista, y mamá dice que todo lo contrario, que todavía podría suceder que Laurita convierta a Heriberto, que aunque comandante, Heriberto es un buen muchacho, que ya ni duerme él tampoco, que por lo que Laurita piensa Heriberto ha despertado aunque no lo diga, y yo le digo que Heriberto es un cobarde, un cobarde, y un comemierda y un equivocado, y un pendejo, y que tengo razones para decirlo aunque no se las voy a explicar, y mamá dice que, está bien, admitido, lo que él sea, pero que Heriberto es católico de misa todos los domingos, y yo le digo que no me convence, que ni ella ni papá creen en lo que dicen, que de un tiempo a esta parte no hacemos más que mentirnos y que con lo que tenemos Afuera nos bastaría, y ella dice que no lo crea, que Afuera no es como aquí, que allá afuera los dólares duran poco, y yo le digo que cuando son pocos, y ella dice que cuando son muchos también, y yo le vuelvo a decir que no lo creo y ella dice que yo nunca creo nada, y yo le pregunto haciendo girar un dedo en torno de mí si son muy importantes las basuras que llenan la casa y aun la casa misma, y ella poniendo cara de Hatuey en la hoguera dice que no son basura, dice que ese cuadro y esa vajilla y esos muebles y aquella lámpara de lágrimas y cuanta cosa hay en la casa, y la casa toda, con jardín y piscina, le han costado un pedazo de vida, y yo le digo que para qué le sirven ahora si no se las puede enseñar a nadie, y ella, cada vez más aterrada, pero son cosas mías y las toco y sé que son mías, y yo le digo que las podemos enterrar, y ella pregunta si enterraríamos a Laurita también, y yo, viendo el estado en que se ha puesto, intento calmarla, pero está fuera de sí y dice que de La Habana no hay quien la saque, coño, y que esperará a los americanos diez años, veinte años, cien años, el tiempo que haya que esperar a esos hijos de puta, pero que de La Habana no hay quien la mueva, y yo le digo que se calme, que me está dando miedo verla así, y ella dice que más miedo le da a ella pensar que pueda perder todas estas cosas que son su vida, toda su vida, las humillaciones que le han costado, dice que han sido casi veinticinco años viviendo exiliada en su propio país, en su propia casa, y se vira para que no le vea las lágrimas, y en eso el claxon sonando allá abajo, a la entrada de la casa de Carla, el fatídico claxon, y agarrándome mamá por un brazo, en un rapto, corre conmigo a la ventana, casi arrastrándome, diciendo despavorida como nunca antes la había visto,

¡mira, mira eso, mira qué espectáculo!, ¡los criados heredando a los dueños!, ¿estás viendo?, mira eso. ¿Lo ves? La antigua cocinera del doctor Ramírez, un poco menos prieta que Eugenia, caminaba a abrir la verja de par en par para que entrara el Chrysler Imperial, seguida por cuatro muchachitos que antes no estaban en la historia porque de seguro ella los dejaba al cuidado de alguien en el solar donde vivía. El negro, antes el chofer, entra con el Chrysler, no lleva gorra, ni uniforme, ni a nadie detrás. Él es ahora el doctor Ramírez, solo le faltaría el maletín. Y mamá me pregunta, ya con los ojos desorbitados y la voz quebrada, rota en mil pedazos, si era eso lo que yo quería que nos sucediera a nosotros, y yo no sé qué idea pudo pasar por mi mente, pero no me he podido contener, sé que le voy a hacer daño pero no me puedo contener y se lo digo de una vez, ¿es eso lo que te importa?, ¡me avergüenzo de ser tu hijo, a la gente como tú, Jesús no las deja entrar en el cielo! Y en eso, sucede.

Qué susto. Qué tres semanas aquellas. Cuánta promesa hecha a los santos. ¿Pegarme un tiro? ¿Ahorcarme? Pensar que eso la acabaría de matar me salva. Fueron los veintiún días más amargos de mi existencia. Juanín, psiquiatra primo de Dominguito, tipo filomático con el que antes salí dos o tres veces a remar y que, por cierto un mes después lo fusilarían en la Cabaña (nunca se supo por qué), me decía que aun sin la discusión de marras, mamá de todos modos habría tenido el infarto en el lugar y hora en que le dio. Lo atribuía al estado de nervios en que durante un año la había tenido viviendo el miedo a Eugenia, y al hecho de haber entrevisto en el espectáculo de casa de Carla que me mostrara, una visión del destino que le aguardaba a su casa si abandonara el país. Pero yo no lo creía, pensaba que Juanín me lo decía para aliviarme la conciencia en aquellos veintiún días en que ni el doctor Concheso ni ninguno de los otros cardiólogos que la atendían se atrevieran a asegurar si volveríamos a contar con ella.

Son tiempos en los que todavía se puede abandonar el país sin autorización del régimen. Vas a la Pan American, compras un pasaje y te apareces en el aeropuerto. Salida que no tardarían en prohibir, me decía yo viendo el éxodo masivo de profesionales que estaba teniendo lugar. A este paso, coincidían Dominguito y Enriqueta haciendo las maletas, el mes que viene no queda en la Isla un médico, no queda un dentista, un boticario, un cura. ¿Te imaginas?

Eso precisamente era lo que buscaba el régimen. Hacer huir a la inteligencia. Obtendrían casas para repartírselas a la masa, y se librarían de la gente que piensa. En diez años estarían fabricando tres veces más profesionales que los que ahora se iban; profesionales inofensivos, corderitos disfrazados de personas que se lo deberían todo al régimen, o peor, a Castro. En tanto, la falta de profesionales para salvarte la vida o empastarte una muela, sería más leña al fuego para el odio de la masa contra el imperialismo yanki.

De ahí mi urgencia en largarnos. O viajábamos ahora o cuando cerraran la puerta, nos cogería de este lado. Papá, que estaba en lo suyo con Aureliano, se burlaba, lo daba por fantasías mías, decía que yo me aprovecharía hasta de la superstición de encontrar una escoba atravesada en el suelo para urgirlo a hacer las maletas. Uníanse a aquel mal presentimiento mío algunos fusilamientos: el primo de Dominguito había sido fusilado; Perico, contertulio habitual de casa había sido fusilado; estaba el fusilamiento de Laborde, que no era contertulio habitual pero vivía cerca de nosotros y nos visitó una vez interesado en el patio de gallos finos de papá en Ariguanabo, y estaba además la detención de Acevedo, el marido de Juana Baeza, sin que se hubiera vuelto a saber de él. Demasiado cerca de casa sentía yo a las patrullas del G2. Y se lo advertía a papá y a mamá. Antes lo hacía como burla, ahora con pavor. No es que yo lo supiera, es que el corazón nunca me ha engañado.

Papá y mamá, que también los sentían acercarse, por principio sospechaban de todos los miembros de la disminuida tertulia. Pero en particular, sospechaban de Eugenia. Sin poder fundamentarlo, mamá estaba segura de que Eugenia era la espía. Temiendo que se le ocurriera envenenarnos, o que la mandaran a envenenarnos, puso a cocinar a Leonora, y dedicó a Eugenia a la vajilla, a la ropa blanca, a los adornos florales y a bordar monogramas en la ropa de cama y en los pañuelos de papá. Todo esto con el cuento de que Eugenia había cumplido cincuenta años de edad, más la fábula de que al cumplir cincuenta y cinco años la jubilaría con una pensión. Y si quisiera quedarse a vivir con nosotros, cosa que nos haría muy felices, se le respetaría su cuarto y su derecho en la cocina a presidir la mesa de la servidumbre. Mentiras, por supuesto, comentaba con papá. Tan pronto llegaran los americanos, la pondría en la calle con todos sus petates. El resto de la servidumbre dormía fuera de la casa y no tenía acceso a la vida íntima de la familia. Aun así, alegando mamá justificados motivos económicos, había reducido el servicio a la mitad.

Como de ninguno de estos miedos estaba yo enterado, había seguido viendo en Eugenia una nana, una tía abuela, un ser querido en cuyas piernas todavía solía sentarme a pedirle que me hiciera uno de los cuentos de su abuelo cimarrón, el que después se uniera a Maceo. Lo hacía por volver a sentir sus dedos ásperos y cariñosos peinándome como en los tiempos de mi niñez. Por oír la dulzura de la voz que tantas nanas me cantara, unas veces dándome sillón hasta dormirme, otras sentadita junto a mi almohada. Y a veces, cuando de noche me oía despertar con miedo a la oscuridad o por una pesadilla, viniendo a la carrera a dormir conmigo. Hasta sin pesadillas la llamaba sólo por sentirme abrazado por ella, metido entre sus brazos. Fue por eso que tan frío me dejaría papá cuando al ir yo también a regañar a mamá por lo que le había dicho a Eugenia cuando lo del café derramado, lo oigo decirme al oído, después de dármelo a entender por señas palpándose la lengua: "Nos está espiando, pero disimúlalo, no cambies con ella". Por supuesto, a pesar de la seguridad con que me lo decía, no lo di por cierto, no lo podía dar por cierto. En cambio, saco de aquel episodio una pregunta. ¿Si fuera de hablar mal del gobierno, ellos no están metidos en nada, por qué ese miedo a Eugenia?

Fue la pregunta que todo lo resolvería, pero que hasta el mes siguiente no vendría a tener respuesta. Pues al mes siguiente me entero de sopetón del peligro en que nos hallábamos y de las razones secretas de papá para no abandonar el país, puesto que emigrar detendría la preparación de un laborioso atentado contra Castro que habría sacudido la historia del país. Era una acción cuyos hilos movía en la sombra y con la que, según creía él, no podrían relacionarlo. Ninguno de sus contertulios participaba en ella. En cierta forma los utilizaba de fachada, para que Eugenia sin saberlo, creyendo hacer lo suyo, fuera su mejor abogada ante los del G2, consciente papá de que los del G2 nunca creerían que en casa de un siquitrillado de envergadura no se hablara mal del régimen. Después, y ahí es cuando él y mamá empiezan a temerle a Eugenia, surge la incógnita de si esa mujer no habría visto y oído más de lo que ellos creían o de si Eugenia en busca de puntos no estaría informando de más, digamos trabajando para quedarse con la casa si fusilaran a papá y encarcelaran al resto de la familia. Mamá la había visto un día hablar por teléfono con una cara muy rara y estuvo por preguntarle con quién hablaba. Temiendo que le contestara que con nadie o que le fuera a mentir, no se lo preguntó; en definitiva, pensó, si no se comunicaba con sus superiores del G2 desde la casa, lo haría en la calle al salir a comprar los víveres frescos de la casa, cosa que a diario había estado haciendo durante veinticinco años. Después soñó que nos espiaba. Y así, puesto que al que velan no escapa, atando cabos por aquí y por allá, uniendo datos que en su momento parecieron insignificantes, mamá llegó a estar convencida de que Eugenia era la espía. Es entonces cuando papá, sintiéndose sitiado pero dispuesto a resistir, vende El

Tocororo, lo regala casi. Era su yate. Un yate de setenta y cinco pies de eslora cuyo capitán vivía pasándole la mano, cosa de tenerlo listo para zarpar cuando papá se apareciera en Barlovento en plan de pesca o de paseo. Creía con esa venta haberle dado al G2 muestras de inocencia, de no estar metido en nada. El pobre. Era en aquel momento el conspirador más indefenso del mundo. Por ingenuos como él había podido el G2 a esas alturas consolidar su poder. Yo, aunque nunca trabajé con esa gente, había aprendido mucho de sus métodos.

Así, para no alargar el cuento pero a la vez para volverlo a vivir, cuando me entero de lo que planean, estoy listo para jugársela al G2. Tienen previsto detener a papá al día siguiente. Lo harán tan pronto salga de casa la segunda de las dos personas que a partir de las diez de la mañana están citados con papá. La primera, un arquitecto que ha trabajado con él durante diez años. Es la persona que le entregará los explosivos para siete explosiones simultáneas por control remoto y los medios para producirla. Técnica en la cual deberá papá instruir a la segunda persona citada: un desconocido con vestimenta y equipo de fumigador que sobre las once y media vendrá con el pretexto de fumigar la biblioteca.

Es una información indudable. Citas, personas y detalles de la misma, me serán confirmados por papá, que muy asombrado, se abre al fin conmigo. Me los ha hecho llegar a través de mi hermana, en cuya casa se metió subrepticiamente, Sierrita, nombre de guerra de un oficial del G2, con el que tenía mucha aventura compartida desde marzo del ´58 cuando me lo envió Manolo Suzarte con tres muchachos más para que los enseñara a disparar. Lo hacíamos en la pequeña finca que tenía papá colindando con la laguna de Ariguanabo. Lugar ideal. Hábitat de yaguasas, guineas salvajes, patos de la Florida, y cuanto pájaro pueda imaginarse, siempre había por la laguna y sus alrededores gente cazando, de modo que oír disparos en aquellos parajes no llamaba la atención. Cuando un mes más tarde Sierrita es comisionado para ejecutar al teniente que asesinó a Ledón y a Fundora (dos muchachos de la gente de Fontán), estuvo escondido en casa durante treinta y nueve días sin que papá ni nadie lo supieran. Lo metí en mi atalaya de la azotea, donde tenía mis poleas y mis pesas, un tocadiscos y un refrigerador y una camita y un pequeño buró, algunos libros y varios trofeos y el buzón para las cartas que me escribía, y tenía baño. El lugar donde me refugiaba para estar solo. Para sufrir. O para soñar. Por la noche salíamos a poner bombas en un Nash viejo que Sierrita dejaba a la intemperie en el patio de su madrina de santo, la cual le había hecho tatuar en la espalda, de lado a lado y de cintura a nuca, una Santa Bárbara. Al Nash le habíamos abierto un hueco en el suelo y por ese hueco íbamos dejando nuestros regalitos con el cuidado de un ave que se detuviera a poner un huevo. Agarrado con una tenaza, bajábamos el petardo al asfalto, y a cambiar de calle, y de barrio. Quince o veinte petardos todas las noches puestos de esa manera.

En la noche del 29 de agosto, víspera de mi cumpleaños diecinueve, fue preciso dispararle en Luyanó a un caballito. (Así le decían entonces a los motociclistas de la policía). Nadie lo hubiera querido. Era él o nosotros. Vio explotar la bomba, no nos detuvimos cuando hizo sonar la sirena de la Harley y ya lo tenemos ahí junto a la ventanilla a noventa por hora, apuntando con su 45. Este azar nos deja sin poder salir del barrio. Estamos sitiados. Logramos sin embargo llegar a la calle Reforma. Pero también en Reforma nos encontramos una perseguidora avanzando de frente hacia nosotros y otra acercándose por detrás. Abandonar el Nash es dejar huellas digitales (Sierrita no tiene cartera dactilar pero yo sí). Y desde la perseguidora de enfrente han empezado a dispararnos.

No hay alternativa. Ripostando, abandonamos el Nash, y a correr. Pistola en mano entramos por una puerta abierta. Empezando lo que va a parecer un sueño, nos favorece el tropelaje que se forma entre el montón de vecinos del barrio que están en la sala de aquella casa viendo el programa de Pumarejo "Reina por un día" y el grupo, numeroso también, que miraba el programa por la ventana y entró a la casa en estampida a guarecerse del tiroteo. Murito al fondo, azoteas que ya sabes y, media cuadra más allá, llegando a Rodríguez, por donde hay un cine, nos descolgamos por un patio y salimos a una casa de la calle Fábrica. En la sala, una vieja que había estado oyendo la "Novela del Aire" cuando empezó el tiroteo y que ahora, al vernos en su sala, nos mira entre aterrada y maravillada, sin saber si hemos bajado del cielo o qué. Tampoco su cara me es desconocida. Todo lo sucedido a partir del comienzo del tiroteo lo había yo vivido en otro tiempo. Incluso me acordaba del sombrero de paño negro de ala corta colgado en la percha, me acordaba del taburete con el respaldar medio zafado y el fondo maltrecho y me acordaba del búcaro de plástico rojo atestado de flores de papel y cagadas de mosca en una repisa. Tres cosas por las que le ofrezco a la señora cien pesos. Se los voy a aceptar porque los necesito, dice ella muy resuelta, saliendo de su asombro. Pero tengo que pagárselos con bonos del 26 de julio, le digo, porque en efectivo no traemos ni un centavo. No es lo que ella esperaba, pero es dinero también, dice. Toma de encima de la máquina Singer al lado de la radio una chaqueta azul marino y se la da a Sierrita. Aunque le va a quedar grande, le dice, póngase este saco. Lo tenía para coserle un pantaloncito al más pequeño de mis nietos. Ni tres minutos hemos estado allí. Haciéndose el cojo, Sierrita, toma Fábrica abajo, hacia Vía Blanca, sombrero de paño negro y chaqueta azul marino. Yo tomo hacia la Calzada de Luyanó, en la cabecera opuesta. Llevo el taburete al hombro y el búcaro junto al pecho. Alumbrada como una mañana de sol a las nueve, la calle Fábrica es un infierno de perseguidoras que llegan aullando y de policías tirándose a registrar las casas.

Se me planta delante un teniente de mediana edad, bloqueándome el paso. "¿Mudándose a esta hora? ¿Y ese cachivache?", pregunta asombrado mirando el taburete hecho leña que llevo al hombro. "Ahí es donde se sentaba mi viejo a tomar el café", le digo. "Por favor, oficial –pongo cara de súplica–, que esa desgraciada me va a alcanzar, y ya le dije que no le iba a aguantar una más". Rápido, el teniente me palpa la cintura por delante y por detrás. "Bueno, dice respirando aliviado, usted enójese, pero no la mate, que por eso echan años", y me cede el paso mientras por señas manda a su gente darme vía libre. "Está limpio", les grita. En el búcaro llevaba la pistola y un segundo peine.

Todo aquello seguía pareciéndome un sueño del que estaba por despertar, la filmación de una película, algo que no era real y por eso mismo no sentía ni gota de miedo. No podía sentirlo. Sierrita lo atribuiría a los poderes de su Santa Bárbara.

En las cuatro semanas que siguieron, ya clandestinos, pero escondiéndonos por separado, hacíamos el trabajo con un Studebaker que nos consiguió Dominguito. Aunque ya con sus diez años, era una delicia conducir aquel carrito. Ni lo sentías al arrancar, y por empinada que fuera una cuesta, el Studebaker ni se enteraba. A este carro le hicimos un hueco más grande que al Nash para poner bombas más potentes, artefactos cuyo estruendo al explotar en la calle hiciera volar vidrieras y hasta puertas. El propósito era hacer bulla, meter miedo, hacer saber que la revolución estaba en la calle, que la consigna del M-26-7 de "Cero Cine, Cero Compras, Cero Cabaret" era para cumplirla.

Son peligros que unen, experiencias que casan secretamente, miedos que sueldan. Uniones por lo general para toda la eternidad. Aparte de que Sierrita, que seguía creyendo a Castro un dios, ya venía desencantado con los del G2, sin entender que tuviera que renunciar a sus creencias religiosas para seguir haciendo el trabajo que a él le gustaba hacer.

Gente de escaleras de incendio y de puertas de fondo desde que recuerdo, tan pronto me doy cuenta de que papá y mamá están metidos en algo grave, única cosa que explicaría el miedo tan salvaje que Eugenia les inspira, comienzo en secreto a cavar mi túnel. Vendo mis dos relojes Omega y unas piezas que había importado a principios del ´58 para la Piper. A través de un tercero insospechable, compro en Caibarién una lancha vieja. Es de petróleo, pero por lo que me habían dicho, tenía capacidad más que suficiente para lo que yo la quería. Haciendo creer que la enviaba papá, la hago trasladar a La Coloma con el pretexto de calafatearla. Por ser La Coloma un lugar de pescadores hay (o había) allí gente que se dedica a eso. En La Coloma le habían calafateado a papá El Tocororo, y también El Mendrugo, su yate anterior. A fin de no encontrar la lancha en los burros si llegara a necesitarla, mando a decir (siempre haciéndoles creer que es de papá de quien están recibiendo las órdenes) que la dejen fondeada frente al astillerito y esperen por una resina novedosa que debía recibir de Holanda la cual ahorra trabajo y alarga la vida de la embarcación pero que debía ser aplicada con la nave recién sacada del agua. Con la lancha había enviado un bidón de petróleo de los de cincuenta y cinco galones.

Mediante una supuesta llamada equivocada, papá aquel memorable día 25, deja un aviso cifrado en el teléfono de un tercero a su par de colaboradores citados para el día siguiente. Yo de corre corre he contratado al pianista Frank Emilio para una velada íntima ese propio día a las a las nueve de la noche, y mamá ha encargado flores a Goyanes y un buffet a El Carmelo para diecisiete personas con un camarero y un barman. Después, para ilustración de la supuesta espía Eugenia, y para los del equipo del G2 que desde quién sabe cuándo nos tendrían vigilados, habla con su hermana Chencha, la madre de Enriqueta. Le cuenta de la fiestecita de por la noche; algo convenido desde la semana anterior, pero ella, con su mala memoria de costumbre, confundió la fecha y ahora todo ha tenido que ser corriendo. Se interesa por Enriqueta y Dominguito, si ha sabido algo nuevo de ellos, y le pide por favor venir a ayudarla, ella que tan buena mano para esas cosas tiene. Tom te recoge y luego te lleva. Todo esto con Eugenia al lado sacando manteles y servilletas y poniéndolos en pequeñas tongas sobre una esquina de la mesa. Yo después de almuerzo he parqueado el Pisicorre afuera, para que se vea desde la calle. Le encasqueto la parrilla que le ponemos para ir a la finquita del Ariguanabo los fines de semana y ayudado por papá pongo un kayak en la parrilla, pongo dos sombrillas, cuatro sillas plegables y encaramo a mi perro Coronel –que siempre iba a la finquita con nosotros y después se ponía a cazar por su cuenta. Sobre las cuatro, ya con el sol empezando a bajar, partimos de mucho aro, balde y paleta para el Havana Yacht Club donde Américo, por ese tiempo a cargo de la intervención de los clubes, nos aguardaba para meternos en un panel de suministros del Yacht Club donde viajaríamos embutidos en grandes cajas de ropa de milicia, a cambio de fugarse con nosotros. Mamá vuelve a rogarle a Eugenia y a Leonora proteger al cake de las moscas y el buffet del gato de casa de Carla. Sobre las seis estaríamos de regreso, le dice a Eugenia y le tira un beso con los dedos. Por primera vez en casi un año, habló ese día por teléfono sin sentir demasiado miedo, me dirá ya en alta mar con la luna empezando a salir.

Ahora en Miami doy vueltas por la ciudad sin haberle podido sacar un centavo a nadie en casa, pero dejándolos muy preocupados. Y quedándome yo también muy preocupado por lo que pudiera suceder con mis padres cuando llegue el momento de hacer efectivo el juramento que de rodillas en el suelo les hice. Aunque no tuviera Allá ni un centavo, iría. Y siguen pasando escaparates, vidrieras. No sé qué hacer, cuál puerta tocar. Le debo a mi padrino cien dólares. Y al doctor deberé pagarle hoy mismo o mañana a más tardar. De lo contrario, nos botará del cuarto. Tengo que conseguir dinero. No puedo permitir que sea Carla la que... De ningún modo. Jamás. Se me ocurre entonces ir a casa de Dominguito.

En ese tiempo todavía Dominguito vivía en la calle Zoreta al fondo del campus de la Universidad. Toco. Vuelvo a tocar. El visor de la puerta.

–Pasa. Le están sacando una muela –dice Enriqueta muy seria al abrir–. Estás andando con ella.

No contesto.

–Aquí no la vayas a traer.

–No pensaba hacerlo.

–No sé qué le ves. –Y se acerca para que la bese al tiempo que se me pega con mucha intensidad abriéndose la bata de casa. No trae nada debajo.

Mi gesto de desagrado la detiene.

–Entonces has venido porque necesitas dinero.

Me franqueo.

–Pues jódete, pídeselo a ella que debe de estar podrida en dinero acostándose con todo el mundo como vive.

–Dile a Dominguito que estuve aquí.

–No te vayas, él tiene algo que puede interesarte. Es un asunto contra Castro.

–Cuando esté, volveré –digo ya en la puerta.

–Pero si está aquí.

–¿No le estaban sacando una muela?

–¿Un refresco, una cerveza?

–Ni agua.

–Entonces entretente con las noticias.

Empezaba el noticiero.

Pura propaganda. Igual que el de Allá y con toda seguridad tan demagógico y mentiroso.

Al fin, precedido por Enriqueta, salía Dominguito de su habitación con el dentista. Era el doctor Beatón Uribe, profesor universitario y ortodoncista afamado en La Habana que fue. Para despistar a la policía, lleva el instrumental de su oficio en una bolsa de Saks Fifth Avenue. Nos presentan y se marcha. Por Dominguito, que al tener la boca anestesiada no se le entiende, habla Enriqueta.

–Ni que te lo hubiera dicho un pajarito –decía.

Un americano conocido de ellos andaba buscando un piloto de confianza para dejar caer unos paquetes en determinados puntos de la Isla. Dos o tres vuelos.

Me observa, comprende.

–¿Hay que aterrizar?

–Este viaje no, solo dejar caer los paquetes.

–¿Paquetes de qué?

Ni ella ni Dominguito lo saben, pero pagan bien.

–Eso ya no es como antes –digo–. Ahora le tiran a las avionetas. Y las tumban.

–Cruzar la calle también es riesgoso –replica Enriqueta fingiendo indiferencia.

–Si no fueras mi prima hermana te mandaba a donde ya sabes.

–De acuerdo, pero la proposición estará en pie hasta las nueve de la noche de hoy. Ni un minuto después.

Regreso al cuarto. Le pago al doctor. Está viendo la televisión. El aparato apenas cabe en la sala, amontonado con las camas, los bultos. En el centro, la mujer, planchando. El doctor se pone misterioso. Ha salido conmigo al pasillo. Primero me pide excusas por la intromisión. Termina de contar el dinero por segunda vez, y entonces me pregunta muy serio:

–¿Usted le ha vuelto a pegar a Carla?

Me sorprendo.

–Yo nunca le he pegado, hemos forcejeado, pero pegarle…

–¡Ah!, me había parecido… Nos debe todavía lo de la puerta. Recuérdelo.

–Pues le pareció mal, doctor.

–Entonces investigue, porque parece que alguien le pegó o a ella le dio una cosa, y no se olvide de lo de la puerta.

Vuelve a contar el dinero.

–Se ha pasado el día llorando. Quizás fue la visita del padre. ¿Sabe usted que ellos vivieron aquí unos meses?

–¿Quienes?

–Ella y sus padres.

Para de contar.

–No me da la cuenta.

–Doce pesos, le digo.

Vuelve a contar.

–¡Ah, sí! Ahora sí. Ahora tienen un muy buen apartamento. ¿Usted no ha estado allá? Déjeme contar otra vez, parece que se había pegado uno... qué cosa más extraña. Uno, dos, tres...

Entro en el cuarto. Enciendo la luz. Carla está con la cara roja de llorar, los ojos hinchados, tirada en la cama, empapada en sudor bajo la sábana.

–¿Qué te pasa? ¿Por qué llorabas? –Está temblando. Miente.

–¿Yo? Algo fosforescente se enciende en sus ojos. Algo malévolo. Aparta la sábana. Se saca el blúmer. Saca de abajo de la colchoneta las postales de Polifemo con su famoso pulgadaje enhiesto, abre las piernas, aparta la trenza y comienza a acariciarse y a poner ojos de felicidad.

–Ven.

Es un golpazo, una puñalada. Me siento parte de la inmundicia que una yegua como tú tiene que devorar,

–¡Puta! ¡Degenerada! –estallo–. ¡Me cago en el corazón del recontracoño de tu madre, depravada!

Tiro la puerta.

Me paso la noche dando vueltas. Me voy hasta la torre del Refugio en el 600 de Biscayne y allí me encuentro con amigos. Hablamos de Cuba, de la gente que parece estar entrenándose en Centroamérica, pues al respecto hay mucho misterio. Lo están haciendo con sigilo, parece que para sorprender a Castro, caerle arriba sin que se lo espere. Hablamos de los refugiados que llegan a diario y de los que regresan a Cuba, fulanos que van a repatriarse ahora que allá están regalando las tierras y las casas que eran (que son) de nosotros, en fin, fulanos sin porvenir, perros que muerden la mano que les diera de comer, y a los que en el aeropuerto mientras la policía mira para otro lado se las cobrábamos, les dotábamos del debido recuerdito, de la avería que hiciera saber a La Habana al verlos llegar que en este bastión cubano por la libertad y la fe en Jesucristo Nuestro Señor, no olvidábamos.

Con toda esta acción desplegada como un poseso durante horas, se me ha ido pasando el asco por ti, siento que eres un animalito desamparado que necesita mi protección. Ha llegado la madrugada y te necesito. Voy a buscarte. Pero no estás en el cuarto. Encuentro un papelito prendido con un alfiler en la almohada. "Me fui para siempre, maricón". Doy una fuerte patada contra el plywood del tabique, se forma el alboroto.

–¡Coño, si todavía no ha pagado la puerta y mira lo que ha hecho!

No hago caso. Salgo a la calle. Camino. Doy vueltas. Me miento la madre. Regreso. Puede ser que hayas vuelto. Nada. Me tiraré en la cama. Quizás te arrepientas, quizás vuelvas antes del amanecer. Aquí debo estar para cuando regreses. Seguramente regresarás. Tú también me necesitas. ¿Por qué te necesito yo? No sé. Nunca se sabe, pero te necesito. Contigo me hundo en la mierda pero te necesito. Eres como un calmante, como una mariguana, eso eres, una adicción. Pero no vienes. Me duermo. Tampoco vienes al otro día. Doy vueltas. Papá me ha dicho que a casa no regrese hasta que rompa contigo. Miami me queda chiquito. Necesito olvidarte, pero no puedo.

Las calles se te vienen encima con sus escaparates, sus vidrieras, la gente de compras, ese automóvil, aquel traje. Los letreros. Las vidrieras. Ese hombre cargado de paquetes, esas frutas tan perfectas que parecen artificiales, bañadas de todos los colores, llenas de todos los olores, ese jamón muriéndose detrás del cristal. El mundo tiene crueldades. Hay de todo pero no puedes comprar nada. Mira aquellos dos, con qué gusto mueven las mandíbulas lenta, aplastantemente. La servilleta, la grasa de las manos, la cerveza. Otra vez el pollo, lenta, aplastantemente. Esa chaqueta. Daría la vida por poder comprármela.

En La Habana, para completar en secreto el dinero de la lancha me había deshecho hasta del anillo de mi graduación de bachiller. Y dadas las circunstancias en que ocurrió nuestra fuga, ni tocar los closets. Las vidrieras. Un mundo de hambre te da vueltas en la cabeza.

129

Piensas entonces en las veces que dejaste un bistec casi entero en el plato. Las veces que ni siquiera te quisiste sentar a la mesa, las latas de comida que en casa se botaban, los jamones colgando encima del fogón que Eugenia ahumaba de un año para otro.

Con lo que gane en este vuelo alquilaré un apartamento y me mudaré solo. Papá no quiere que me meta en nada y ya estoy metido. Demasiado metido. También estoy demasiado grande para seguir viviendo como un colegial. Aquí la cosa es distinta. Ya no estamos en La Habana. Aquí hay que agenciárselas. Brutal que es el exilio. Te creías inmortal y te enseñaron una tumba. Te creías bello, puro, redondo, y te hicieron ver que por dentro, estabas lleno de intestinos, de vísceras, de porquería. Estas cosas suceden pero uno no debería saberlas. Cuando eso ocurre la vida se vuelve mierda. A alguien tienes que cobrársela. ¡Cómo no ibas a ir a Cuba! Si en vez de ir ahora a tirar paquetes probablemente de dinero o de propaganda, tuvieras que ir a tirarlos de dinamita, irías también. Es grato poder dormir tranquilo, satisfecho del deber cumplido, es bueno parecerse a Dios. No pensar, no preocuparse. Ser bello todo el tiempo. Era bueno levantarse con la única preocupación de la ropa que te ibas a poner. Llamar por teléfono, hacer citas. Llegar a El Carmelo y venir a saludarte a la mesa a alguna chica que por casualidad parecía haberte visto. Siempre alguna chica esperando una sonrisa, una invitación. Los tragos, la posada, Varadero. Siempre alguien esperándote.

Es la vida en sociedad lo mejor que se ha inventado. Los amigos siempre dan fiestas. Tus manos limpias, la ropa impoluta, perfecta. El tiempo no cuenta, hablar de precios es ridículo. Tu tiempo se reduce a desear, a ser distinto, hermoso. ¿Quieres un material nuevo? Te pasas por la oficina del viejo. Siempre levantas algo, nunca hay problema. Eres Dios. Un pequeño, rubicundo, poderoso dios. La pobreza es mierda. Yo la entiendo, pero no la acepto. Jamás. No es que se venga o no se venga a la Tierra con un destino, el mío era aquel. El buey no padece porque siempre ha sido buey, igual el mediocre, por eso no pueden sufrir lo que yo sufro. Los viejos días volverán. Volverán. Por lo pronto, hoy empezaré a volar a Cuba según mi conversación de la semana pasada con Mr. Cleo.

Llego al cuarto, y te hallo sentada en la cama acariciándote la boca con la punta de la trenza, abriendo sobres y revisando mis cartas, leyendo mis poemas. El corazón me revienta en el pecho. Para este instante había preparado un discurso, una golpeadura. Ahora solamente acierto a preguntar:

–¿Dónde has estado?

–Con tipos, por ahí –dices sin levantar la cabeza.

Me dan ganas de sacarte los ojos con las uñas. De entrarte a puñaladas, romperte dos botellas en la cabeza, echarte agua hirviendo, morirme en presidio; no sé.

–No cambias! ¡Qué manera de escribir basura!

Las piernas se me cuartean.

–¡Quién te manda a leer lo que no es tuyo! Eso es una frescura.

Te saco el poema de las manos.

–Basura. Poeta, Vallejo. ¿Por qué no aprendes de Vallejo? Lee a Vallejo. Ahí sí hay un poeta.

Te gusta hacerme daño, humillarme. Sabes que no pretendo ser poeta, que jamás publicaría lo que escribo. Al principio fueron textos escritos para darme el gusto de hacer bulla en tu Olimpo, y después los compuse como quien se pone a hacer solitarios. Con todo, me ha dolido oírtelos llamar basura. Sabes dónde golpear. Sabes destruir, volver polvo, fango.

Sacas un poema que te habías guardado en el seno. Lo lees. Luego me agitas el poema en la cara. –Oye eso. ¿Esto es poesía? –Y te quedas mirándome. Poco a poco, sin embargo, va apareciendo la sonrisa, la ternura.

–De todos modos es halagador saber que has escrito estas cosas por mí.

Te dejas caer en la cama, blanda, suavemente; los ojos lilas, la mirada húmeda, la trenza arrepentida, pobre, destartalada. Tengo dos caminos: matarte o caerte a besos.

–¿Por qué haces esto, Carla, por qué?

Llega el americano y me voy con él en un Ford. Me proveen de ropa para el vuelo. Subo a la avioneta, como en mis buenos tiempos. Es igual a la Super Cub mía, solo que pintada de gris. "La cosa por Camagüey está tranquila", me dice. A eso de las cuatro despego. Llegaré a Cuba con el sol bajo pero sin que todavía sea de noche. Puedo estar de regreso para comer.

Te elevas y te parece estar en otro mundo. Aferrado a los mandos vuelas como un pájaro. Allá abajo el mar se ve sereno, un poco pardo a veces, cruzado por anchas ráfagas de luz. Lo pardo, la oscuridad, otra vez la luz. Las ráfagas. Puedo mirar directamente al sol cuando se hace dorado rojizo antes de hundirse en el horizonte. Las ráfagas de luz van siendo menores, las aguas van siendo más pardas. Más. Un manto definitivamente pardo ha caído sobre ellas. Se mueve lenta, blanda, incluso olorosamente. También se percibe su rumor. No es el rumor de las olas, es el rumor de la quietud. El dulce rumor del silencio. Alguna vez pasa una lancha, un bote, un barco, alguien hacia la costa. Parecen cajitas de fósforos, pequeñas laticas resplandecientes, divertidos juguetes de niños. También los envuelve la quietud, el rumoroso color pardo del silencio. Tú ni te sientes. Eres el dueño de todo. La inmensidad es tuya. Penetras el aire y te parece estar entrando en el paraíso. Es como violar algo muy dulce, muy casto. Es una suerte especial, una sensación, un modo, algo que no podría definirse. En el aire te sientes más seguro que en ninguna otra parte. Te sientes más grande, más capaz. Pero sobre todo, te sientes mejor. Allá arriba todo es noble, todo es puro, inmortal –sin tiempo es la palabra–. Nunca se piensan cosas malas. Allá arriba se es un ángel. Se está tan cerca de Dios. Es Dios y tú. La eternidad y tú.

Consultas el mapa y ya estás en Camagüey. Cruzas el río, el puente. Allá a la derecha está el tronco ardiendo, un poco más allá el hombre con el farol Coleman, las dos palmas voladas por el rayo, ahí: esa es la referencia. Déjame elevarme un poco más, no vaya esto a ser una trampa. ¿Y si los han descubierto? ¿Y si han confesado? Allá voy. Dejo caer mis paquetes, doy la vuelta. Ha sido una hermosa vuelta ancha en círculo. Qué lástima que no se pueda permanecer en el aire todo el tiempo. Dos horas más tarde estoy aterrizando. El americano me felicita, el jefe de la base militar me da la mano. Me cambio de ropa, me meten en el carro, me llevan de nuevo para casa de Dominguito.

–Le ruego la mayor discreción, Mr. Tom.

–Despreocúpese, Mr. Cleo.

–Esté listo para una nueva salida.

–Considéreme a sus órdenes.

–Le felicito otra vez, Mr. Tom.

Al día siguiente compro un Oldsmobile 88 de segunda y encontramos un apartamento en North Miami, lejos de los conocidos y más cerca de la base aérea y nos mudamos. No es gran cosa pero ahora estaremos nosotros dos solamente. Estiraré el dinero lo más que pueda. No quiero volar a Cuba de nuevo. Es peligroso. Mucho miliciano, mucha antiaérea rusa y china sin que Eisenhower acabe de darse por enterado de que al viejo armamento de Garands, Springfields y ametralladoras San Cristóbal que heredaron los camaradas del ejército anterior, le han sumado la Pepechá, feísima pero muy efectiva ametralladora rusa de tambora, los fusiles R-2, y el Fal que puede derribar avionetas como la mía, y la sub ametralladora checa para el combate a corta distancia, además de municiones para cien años. Senilidad, ceguera, costos de tener un presidente de esa edad que los rusos siguen aprovechando.

Como primera instrucción a los de Allá, dieron la del entrenamiento. Marchadera por la calle de noche, arme y desarme todos los días, en todas partes; para formar aguaje, crear atmósfera de guerra, prácticas de tiro al blanco, mucho arrastrarse entre nidos de alambre, mucho pasar y volver a pasar bajo el fuego rasante de las ametralladoras a centímetros de tu cabeza hasta perder el miedo. O la cabeza. A ese paso, cuando por fin lleguemos, encontraremos Allá un gran ejército entrenado y equipado. Súmese a ese entrenamiento el cebo de haberles dado (o prometido) tierra y casas. Por diez habría que multiplicar entonces la motivación de cada uno de esos milicianos. No me engaño. Estuve entre ellos. Fui uno de ellos. Sé cómo trabajan. Es el método ruso sin saltarse ni una coma.

Sin saltarme ni una coma yo tampoco, hoy, cincuenta y siete años después, negaría la precedente apreciación de cómo iban las cosas en Cuba por aquellos días. En Bahía de Cochinos el enemigo no fue la gentil bayamesa prometida por los diseñadores de la CIA. Quien Allá nos recibió fue el otro, el que yo conocía. Aquel que además de contar con el entrenamiento, gozaba ahora de medicina y educación gratuitas, se encontraba asistiendo al novedoso espectáculo de una campaña de alfabetización, y ávido esperaba además los contenedores infinitos de las regalías por llegar. Pues como de costumbre en estos fantasiosos regímenes de estirpe comunista, lo que el tirano no ha podido regalar aún, lo promete para cuando llegue el porvenir. Promesas que hace con la naturalidad de quien hablara de la llegada de un tren, o del próximo invierno.

Han pasado varios días. Hemos tenido algunas discusiones, sobre todo por la noche. Casi nunca quieres hacerlo. Te sacudo, me hago el que voy a ahorcarte con la trenza. Luego te pasas dos o tres días bien. Entonces vuelves a lo mismo. Te sigo deseando como el primer día. Esto quizá sea porque siento que nunca te he tenido de veras. Eres fría, ajena, distante. Abres las piernas y crees que con eso basta. El día que llegue a desesperarte, a tenerte completamente, a hacerte gemir como un animal moribundo, te mandaré al diablo. Pero quizás no. Te me vas haciendo imprescindible. Debe de ser que nunca me había enamorado. Debe de ser que nunca me habían querido. Debe de ser… bueno, debe de ser que el amor te vuelve idiota, qué carajo.

Textual también, y acaso más dolorosa que ninguna de las heridas que me causaras hasta ese momento, la siguiente carta, escrita en aquellos días con mi prosa de entonces.

–Estoy embarazada –me dices con una suave voz caliente un día en que te tengo tumbada sobre mis piernas. Estábamos mirando la televisión y mis manos jugaban con tu trenza. De momento no sé qué decir. El miedo y la alegría se juntan. Un muchacho ahora sería un estorbo. Pero también sería un hijo tuyo. Jamás me han gustado los muchachos. Pero éste no sería un muchacho. Sería un hijo. Esto es una verracada. Un muchacho y un hijo son la misma cosa. Pero no son la misma cosa. En éste caso sería un hijo tuyo. No sé. Un hijo nos ataría, nos impediría. Pero también sería como tener algo de ti, un brazo, una pierna, como empezar a tener algo tuyo o como darte yo algo mío, dejarte algo mío, sembrarte algo de mí. Me doy perfecta cuenta de que no es cariño por el hijo. Es una especie de venganza por tu indiferencia. Es también un poco de vanidad, una necesidad íntima de prolongarme. No sé. Estas cosas se piensan de distinta manera. Aquí no intervienen las ideas. Son cuestiones de la sangre. Qué diablos me importaría tener un hijo. Mañana esto se acabará, porque algún día se tendrá que acabar, y entonces será un asunto tuyo, un problema tuyo. Solamente.

Pero no fue así.

–Estoy embarazada –me dices con una suave voz caliente un día en que te tengo tumbada sobre mis piernas.

Estábamos mirando la televisión y mis manos jugaban con tu trenza. De momento me parece no haber entendido. Esto no se entiende de un minuto para otro. Estás embarazada. Has dicho que estás embarazada. Eso quiere decir que vas a tener un muchacho, que va a empezar un estorbo. Yo estoy muy joven para eso, tú también. Esta es la edad de amarse, no de complicarse. Y aquí. Todavía en La Habana. Pero aquí. Por otro lado, has dicho estoy embarazada, no has dicho vamos a tener un hijo. Eso abre una posibilidad. No creo que tú tampoco lo quieras. Un muchacho. Como si fueran pocas las desgracias que ya uno tiene encima. Un muchacho no debe venir al mundo a pasar trabajo. Pienso en nosotros. No sé cuántas cosas he pensado, qué cara he puesto.

–¿Te molesta?

–¿A mí? Con tal que hagas con eso lo que tienes que hacer...

Silencio. Se hace un largo silencio. Mis manos se han paralizado en tu pelo. En tu cara no hay expresión. No puedo saber si te ha gustado o no, pero no es cuestión de que te guste o no, esto es sencillamente que tiene que ser así. Nuestro derecho a ser felices lo demanda. Debo proteger nuestro amor. Te has puesto fría. Te paras. Apagas el televisor. Te sientas en el butacón de enfrente. Comprendo ahora por qué desde días atrás has querido dormir con un oso de peluche.

–Eso mismo había pensado yo –dices–. Además, no es tuyo.

La puñalada, el hoyo trapero por donde desapareces, Tom. Cómo te odio en este minuto. Pero quizá no te odie. Simplemente te odio. Cada una de esas palabras tiene que haber pesado media tonelada. La mente se me congela. Quedo aplastado bajo las palabras. Todos los escombros del mundo han caído sobre mí. Enfrente estás tú, tu cara dando vueltas frente a mí. Es un ventilador que se va poniendo azul, violeta, hasta que se pone negro. Entonces ya no eres tú. Eres una inmensa bola de hierro golpeando contra mi costado, demoliendo algo perdido que hay dentro de uno, no se sabe dónde, pero que debe de estar seguramente, más abajo del alma, después que se pasa el ombligo. Sin embargo no has dicho una sola palabra más. Has de estar localizándote una mancha en la ropa, como mamá, sacudiéndote con el revés de los dedos alguna pajita imaginaria. Quizá estés mirando por la ventana. Contemplando al osito tal vez. En realidad yo no te veo. Tus palabras se han quedado suspendidas en el aire. Tan ahí están que se ven. Hay palabras que no sirven, se van, se pierden. Pero hay palabras que se entierran, palabras que no se oyen. Esas son las que se ven, las que casi se pueden tocar, y tú las ves que se quedan ahí, mirándote, golpeándote con muchas manos. Así están tus palabras: suspendidas sobre mi cabeza, sobre mi sangre, sobre mis oídos helados, sobre sabe Dios qué dios íntimo. Pero debo sobreponerme.

Comienza el ventilador a girar hacia atrás. Regresan los colores, a la inversa. Reaparece tu rostro. En el segundo transcurrido he vivido todos los años que cabrían en el tiempo. Yo también regreso de otro mundo. Puedo ser inteligente. En el segundo transcurrido has pensado como nunca, Tom, te has adueñado de toda la sabiduría. Has amarrado el dolor, lo has atado. Está ahí pero no puede moverse. Está bien oculto, guardado, prohibido. Cuando contesto me doy cuenta de que he contestado tus palabras en el acto. No puedes haberte dado cuenta de los golpes que me has dado, Carla, del derrumbe que me sepulta. Las piedras, los escombros. Sacas una mano Tom, la otra mano, la cabeza. Límpiate esa sangre. No has visto nada, Carla. Ha sucedido como un golpe, como un chispazo, un alambrazo que te permite sufrir y saberlo todo de un solo pinchazo. Entonces piensas que el tiempo es una invención, una fantasía, un negocio de relojeros. La intensidad es lo que cuenta, ésa es la gran medida. Y te sientes feliz, satisfecho. Tu honor de hombre ha sido salvado. Con toda la despreocupada indiferencia de que se pueda ser capaz, contestas:

–Tratándose de una puta.

En los siglos transcurridos durante este instante he comprendido que debo destruirte, que tengo que destruirte. Nos quedamos en silencio. Quién sabe las cosas que pasan por la cabeza de uno en momentos como éstos. De buena gana te echara a la calle pero debo darte la impresión de que no me importa, de que te tengo aquí como un objeto más. Tengo una batidora, tengo un radio, tengo un televisor, tengo una aspiradora, tengo un bollo. Trataré de ser tan natural como hace dos minutos. Tomo unas historietas de Superman. Paso a Dick Tracy. Don Fo. Nunca comprendí por qué Don Fo era tan feo, olía tan mal. Pero hoy Don Fo no me interesa. En el fondo Don Fo era una buena persona. Pero el mundo está lleno de buenas personas. Todo el mundo para Don Fo sería demasiado. En el fondo me gustaría que lo envenenaran. Por imbécil. Hoy odio a Don Fo. Lo odio con toda mi alma. De buena gana le entrara a balazos. Tú comienzas a silbar. Eso me molesta. Debieras estar llorando. Pero ¿llorando por qué? ¿Llorar una puta que confiesa llevar en la barriga un hijo de otro? No, mi querido Tom, usted tiene que ser inteligente. Siga mostrando frialdad, póngase a la par de ella. Usted ha caído en la trampa del amor y eso hay que pagarlo. Solo le queda el recurso de la inteligencia.

Entonces te avisan por teléfono que el americano te espera. Le dices a Carla que quizá regreses temprano. Cuando regresas ya es de noche. Carla no está. Sus pocas cosas están colgadas donde siempre. Pero ella no está, y tienes la impresión de que se ha ido para no volver. Te tiras en la cama, te duermes. Tienes de nuevo ese sueño siniestro que te persigue. Despiertas solo en la cama a la mañana siguiente. No piensas nada. Tampoco sufres. Te sientes destruido, nada más. Tienes la impresión de haber asesinado algo, a alguien o de haber sido asesinado, o de ambas cosas a la vez. Eso es todo lo que puedes saber. Es una sensación bien difícil, pero solo eso: una sensación. Si llegara a convertirse en una idea tendrías que suicidarte. Por eso no se piensa, tampoco se sufre, es mucho más fácil, te dejas morir a pedazos. Los recuerdos se evaporan, los proyectos se diluyen, sólo queda esa cosa que arde después que se pasa el ombligo, después del alma, más abajo. Entonces te mueves por la casa como un loco. Si te pegasen, te dejarías pegar. Si te diesen un beso, matarías a quien te besase. Tienes unas ganas horribles de hacer algo horrible. Pero ¿qué? ¿Matar? Eso no sería horrible. Ah, si el mundo fuese un perro, algo que se pudiese juntar con las dos manos y estrangularlo. Mejor llamas a Dominguito.

Horas después estás en la Base. Entras en la Piper y sales para Cuba. Hoy lo harías aunque no te pagasen. Hoy no vuelas contra Castro, hoy vuelas contra la vida, contra la mierda. Hoy vuelas porque necesitas volar, ser grande, tener alas, zafarte de la tierra, internarte por donde no hay nadie, por donde es el silencio, los basureros allá abajo relumbrando como joyas y estás solo, alejado, suspendido, rozando el infierno. Con qué ganas te dejarías caer contra esas casas de modo de incendiar la cuadra, ver el pánico, la muerte calle abajo. Con qué ganas.

Cinco horas después estás de nuevo en casa de Dominguito. Todo ha salido bien. Entregaste los paquetes personalmente. Esta vez fueron explosivos, armas. El que los recibió te entregó un sobre lacrado que entregaste a Mr. Cleo. También trajiste a un tal Llópiz. Si lo vieses mañana en la calle no le reconocerías. Así de poco lo miraste. La próxima vez será una quema de

145

caña. Hay que estar listo para la zafra, te han dicho. Al despegar en Cuba crees haber oído disparos, pero no pusiste mucha atención. Diste una vuelta sobre el pobladito del ingenio donde se entrenaban unos milicianos y tiraste una granada incendiaria. Necesitabas hacerlo, ver arder algunos ranchos, ver a los milicianos correr y ponerse a disparar como si te pudieran alcanzar.

Regresas al apartamento, sin prisa. Nadie te estará esperando. Entras, te acuestas. Otro día igual que el anterior. Pasan diez días. Has quemado tú solo la caña de un central. Estás en caliente y aprovechas. Acumulas dinero. Pero ya tu desesperación no da para más. Te pasas los días encerrado, de la casa para los cañaverales y de los cañaverales para la casa, sin pensar, sangrando. Encerrado. Muerto. Ni siquiera has tenido valor para escribir un poema, un poemita que fuera. Sangrando solamente. Andará con otro, seguramente. Con otros. Pero a mí no me importa ya que andes con otro o con muchos. En este momento lo único que me importa es que vuelvas, que estés. Y no vas a volver. Lo sé. Sin embargo, tienes que volver. Ahora que por cada vuelo están pagando casi el doble de antes, tienes que volver, que aprovechar todo esto. Me necesitas. Te necesito.

Salgo a buscarte. Ando, rebusco la ciudad, pregunto. Sí, te han visto, andas con otro. Con otros. Busco por los bares pero no te encuentro. Voy al cementerio pero no estás. Voy al antiguo cuarto. Nada. Allá tampoco has estado. Te han devorado, te han desaparecido. Sin embargo tengo que encontrarte. Sé que no te quiero, me consta, pero te quiero. No es amor, es de otro modo, yo no sé. Pero es eso. No te he podido destruir y tú me estás destruyendo. Es necesario que te encuentre, que te abrace, que te destruya.

Viene al fin un día a verme tu padre. Dios ha tenido compasión de mí.

–Es necesario que vayas a ver a Carla –me dice–. Temo por ella.

Me cuenta que te pasas la vida borracha, que estás llegando a la casa al final de la madrugada, que a veces ni siquiera vas a dormir.

–Imagínese. Todavía no hace nueve días que se hizo un aborto.

Voy a verte. Le he pedido al doctor que él no esté en la casa cuando yo llegue. Me abre una mujer de pelo entrecano, una vecina. Me indica tu cuarto. Es un lindo, modesto apartamento lleno de claridad desde donde puede verse el río. Estás tirada boca abajo en la cama. Registro el cuarto con la mirada, pero no veo nada, solo sé que te encuentro, que te tengo, que me tiro de rodillas ante tu cuerpo, ahí caído sobre tu trenza.

–No deberías haber venido –dices sin volver la cara.

No es tu voz. Son como unos finos, pequeños cristales rotos removidos por un viento desconocido. No acierto a decirlo de otro modo y lo digo:

–Perdóname.

Te echas a llorar y yo también lloro. No sé cuántas cosas nos hemos dicho sin decirnos nada. Pero llega el momento en que es necesario saber qué ha pasado en estos días, dónde has estado, qué has hecho, qué ha sucedido, con quiénes has andado. Son cosas que lastiman pero que necesito saber. Tu tiempo es mío y aunque no te tenga toda, entera en toda la extensión, necesito saber qué haces durante ese tiempo. Es un modo de atormentarse, una tortura que te procura el amor para que seas feliz en tu dolor, un modo de reducirte que necesitas para saberte un perro, un latón de basura, cualquier cosa.

–¿Qué has hecho en estos días?

–He andado por ahí. Con tipos.

Lo sabía, lo he sabido. Me lo había dicho tu padre, me lo habían dicho en la calle, pero necesitaba preguntártelo para oírte decir que no, para que me dijeras que tú también te habías pasado el tiempo como yo en la casa, en la cama, con una borrachera de lágrimas cuando no de alcohol. Pero que me dijeras que habías permanecido esperándome, sin salir, con mis fotos sobre tu pecho. Lo conozco, lo sé, lo sabía todo, pero necesitaba de esa pequeña, amable, inocente mentira. Pero tú no mientes, tú no mientes y me atas aún más a tus vicios. Dentro de mí, lo poco que hay cae al suelo y tú caes con ello, hecho una porquería, una basura, una mierda, eso mismo. Pero necesitas preguntar. Ser cruel contigo mismo, Tom. Se puede vivir con todo el honor o sin ningún honor, lo que no se puede es vivir con un poco de honor. Eso es no vivir, no ser nada. Eres un hombre o eres una cosa, un perro. Pero algo tienes que ser. Un poco de honor es como ser un hombre con la cabeza de un perro y los pies de latón. Y eso es no ser nada. Eso es ser un monstruo. Asume entonces el papel de perro, camina como perro, di las cosas que diría un perro y sé un perro. Entre tantos perros nadie se dará cuenta, serás un perro rubio y te llamarás Leal.

–¿Quién te dio el dinero para el aborto?

–Papá me lo dio.

–¿Tu padre?

–Él tiene la culpa, ¿no?

Es horrible pero no entiendo. Trato de no entender, de no saber. Por debajo de las cosas que no se entienden hay un mundo de cosas que se saben, que se presienten, que se conocen que se comprenden, pero que te obligan a no saberlas, a no entenderlas. También un perro tiene el derecho de mantenerse inocente. Si fuera un hombre buscaría debajo de tu respuesta, pero soy un perro. En lo adelante solo he de mover el rabo. Ese es mi papel. Y aullar, pero por dentro, sin que se enteren los vecinos. Por debajo de las patas.

–¿Vuelves conmigo?

–Eres un mierda, un mierda. Eres un mierderito.

Mentira. Soy un perro.

No puedo contenerme y ya en la puerta con el picaporte en la mano para irme, te lo pregunto:

–¿De quién era?

–Tuyo, claro.

La casa, el mundo se me viene encima, de nuevo. Otra vez los ladrillos, los escombros, la bola golpeando contra las costillas, y tú enfrente, detrás, a los lados. Justamente, soy un perro. Y caigo a tus pies con la cabeza oyendo en tu barriga, diciendo amor, ladrando mierda.

Continúo revisando este caprichoso epistolario íntimo que comencé en La Habana cuando niño, y en el que sigo encontrando cosas que aunque escritas el año pasado, sucedieron cincuenta años atrás. No es extraño. Esas cartas las escribí para olvidarlas, unas veces, y otras, las más, para volver a sentir lo que había sentido. Más que Diario ha sido pues, un jarabe para la melancolía, cuando no para la catarsis, además de un confidente sin reproches ni consejos. Las cartas de negocios, las he ido guillotinando mientras separaba las que te leo. Cuando se llega a mi edad es preciso preverlo todo, mucho más si uno siente que está al partir, como me siento yo; no porque esté enfermo, que no lo estoy, ni porque sienta un nuevo atentado en camino ya que, gracias a Dios, esa etapa del viejo Miami, ha sido superada. Sencillamente, porque está por ocurrir. Lo sé. Lo presiento.

Cuando me hicieron el atentado, me sentía igual, idéntico. Los negocios iban bien, papá y yo seguíamos expandiéndonos con éxito por la costa este y Panamá. Enriqueta no podría ser mejor madre para Clara y Rómulo. No creía tener problema con mis aliados en mi compromiso de lucha contra Castro, y sin embargo sentía ahí a la Muerte, pisándome los talones, acostándose a mi lado si me acostaba, comiendo junto a mí si me sentaba a comer. No eran fantasías. Si para asombro de los médicos sobreviví, por algo debió de ocurrir.

No es hoy el caso. La evolución en las circunstancias tanto Allá como Acá han asegurado el cambio. Mas, como decía el otro día nuestro Conte Agüero, ya no tan imponente pero todavía con su aire perpetuo de editorialista: secuestradores y liberadores debemos desaparecer para que al fin la patria, libre de odios, pueda realizar el destino martiano que le aguarda hace siglo y medio.

Esa alegría me cabe, Carla. Esa alegría sin precio posible. Y ése es el detalle, el capital detalle que diferencia mi situación de hoy con la del exiliado iracundo que he sido en las vísperas del primer atentado. Qué odio a mí mismo. O qué piedad. No exagero. Me sentía un traidor, un desertor, alguien a quien se le confió una misión muy importante y había fallado. Por volver a compadecerme a mí mismo en aquel pasado, y sentir con mayor intensidad mi actual alegría, te leeré uno de los tres textos que entonces escribiera como si avergonzado de no haber pasado la prueba no hablara de mí, sino de ti.

Despídete de la vida, Carla. Di adiós. Ten al menos en este último minuto un gesto de cortesía con esta vida de mierda a la que le importará un carajo tu cadáver saliendo para siempre de este mundo. Despídete, di adiós a tu público. Adiós al verdulero de enfrente y al político que estuvo en el duelo de tu madre. Adiós a todos. Adiós, Carla, porque tú también te habrás marchado cuando esas maletas detrás de la puerta no estén ya. Tu paso breve por este mundo se irá conmigo.

Murió mi eternidad y estoy velándola, decía César Vallejo, poeta que empecé a leer porque no te gustaban mis versos y te gustaban los de él. No era la muerte de su infancia lo que lloraba Vallejo, era la representación de su muerte total. Recuerda que Vallejo vivió sin saber que era Vallejo. No ignoraba sin embargo que un hombre vive por el recuerdo que deje de sí, sea un puente que acerque más el mundo, sea el descubrimiento de un suero portentoso, sea el de una casa que se sacó del bolsillo y plantó sobre la tierra para posada del peregrino, además de por los buenos recuerdos que pudo haber acumulado en el corazón de sus amigos. El puente, el suero y la casa quedan. Pero si no hay puente ni suero ni casa, sólo quedaría ese endeble corazón de los amigos que un día se cansará y se llevarán también, como están por llevarse el mío. Corazón en el que además se marchan Clara y Rómulo, mamá, papá y Laurita.

Mis pertenencias verdaderas, como ves, han sido escasas, y breves.

Gran tristeza la de edificar en el corazón de los otros. Desdichado de mí que por más que lo intenté no pude hacer lo que me tocaba hacer. Página que habría sido mi puente, mi suero, mi casa; el hecho por el cual me recordarían mañana, la gesta por la cual se sabría que estuve aquí, que yo también pasé por este mundo. Y en todo caso, aunque no fuera eso lo que Vallejo quiso decir, lo dijo. (Que hasta equivocándose los poetas aciertan.) Y di adiós. Adiós desde mi corazón. Adiós, adiós. Adiós a todos, Carla. Para siempre, dispuesta a ser conmigo silencio, humo, polvo, viento que pasó una vez sobre la tierra.

La partida para Cuba se había hecho inminente. En Miami no se oía hablar de otra cosa. En el Walgreens del encuentro de los cubanos, en la torre del Refugio, en los periódicos, en los noticieros, y donde quiera que se encontraran dos cubanos, aparecía el tema. Aun así, persistían divergencias. La presencia del esbirro de ayer en las filas expedicionarias no había logrado obtener el quorum deseado. En la entrada del Refugio eso ayer fue candela. O volvió a ser candela. Y hoy, está Conte tratando de conciliar los ánimos. Desde la puerta, oí el bocadillo que ahora, medio siglo después, recogeré, no por darme el gusto de ver cómo éramos los cubanos de aquel Miami, sino por agradecer de nuevo el porvenir que Dios nos apartó del camino. Preguntaba el autor de aquel inolvidable bocadillo:

–¿Pero, usted sabe cómo se mata?, ¿usted ha matado?, ¿usted sabría, digamos, hacer un nudo para ahorcar a un enemigo? Si no lo sabe, entonces cállese, y vaya aprendiendo a hacer ese nudo, y a hacerlo bien hecho porque después que estemos Allá y nos hayamos constituido en gobierno, tendrá usted que hacer muchos nudos de esos. Pero muchos. La cosa no será como a usted se la han pintado. No señor. La cosa no será llegar, será mantenerse en el poder.

Según Conte, siguiendo el discurso que llevaba cuando fue interrumpido por el del bocadillo que acabo de citar, Cuba había estado inmersa en una guerra civil cuyo término era aún impredecible y de la cual todos los cubanos éramos culpables. Todos. Los de esta orilla, bastión de la democracia, y los de la orilla rusa, la totalitaria. Razón por la que, como él se proponía demostrar si no seguían interrumpiéndolo, ningún exiliado tenía derecho a mirar a su vecino de exilio por encima del hombro.

Este hecho, lo admitía, era una realidad que costaría trabajo reconocer, pero una realidad innegable. Idea por cierto, que yo compartía; con dolor, pero la compartía. Era algo que había visto con claridad par de meses atrás. Al tocar en casa de Dominguito, quien me abre la puerta es el coronel Ventura. Esteban Ventura Novo en persona. Por fortuna para mí, no tuvo tiempo el muy cabrón de sacar la pistola. Cuando desde el suelo iba a hacerlo, atontado como aún estaba por la trompada que le metí, ya tenía puesta en la cabeza la Browning de Dominguito. Hasta vino la policía llamada por algún vecino, pero Ventura, ya conocido de la policía en la ciudad, les explicó que se trataba de una confusión y se retiraron. Intentando herir mi orgullo, decía que no me hiciera el gallito ahora, que de no haberse aparecido papá en la estación con Salas Cañizares él me habría hecho hablar. Dominguito, que había sido más torturado por él que yo, pero que ahora parecía ser su jefe o tener algún ascendiente sobre él, lo apoyaba:

—El cuerpo humano tiene un nivel de resistencia —decía—. Yo mismo hablé, fui yo quien te echó para alante, y echó para alante a Heriberto y a Hilda y di la dirección de las dos casas donde teníamos a la gente del atentado del sábado.

–¡Cojones! y Heriberto creyéndome el delator.

–Sí, pero fíjate que ninguna de esas delaciones tuvo consecuencias.

Era verdad. En el caso de las casas que Dominguito entregó, estaba convenido que fueran desalojadas si en cuarenta y ocho horas no volvían a saber de él. Heriberto ya estaba clandestino y en plan de salir para la Sierra, y en el caso de Hilda su hermana, el padre de ellos, amigo y compadre de Anselmo Alliegro, habría acudido a salvarlos, como en efecto sucedió. Tampoco en el caso mío calculó mal.

–Bien interrogado, no hay quien se quede sin hablar –confirmaba un venezolano exiliado ex policía del derrocado gobierno de Pérez Jiménez, hombre alto y flaco, maestro de artes marciales, que acompañaba a Ventura y cuyo cadáver aparecería semanas después flotando en un canal ya en avanzada descomposición. Había logrado inmovilizar a Ventura hasta pactar la paz.

La cosa terminó con disculpas de ambas partes y mandando a buscar comida china y cervezas. Por más que me doliera reconocerlo, Ventura tenía razón. Cuando en el ´58 me agarra, estamos en guerra, estábamos en bandos contrarios y él cumplía con su trabajo.

Él, sin elevar el tono, como quien hiciera una conversación casual, antes de ordenar atarme en una silla me preguntó si iba a hablar y yo empecé a hacerme el chivo loco. No es hombre de estudios pero sí muy leído y le gusta que eso se note. Tampoco es gente de perder tiempo y le gusta que eso también se note. Mira la hora. Manda a uno de sus hombres por cigarrillos. Traen un cartón, lo abren y ponen las cajetillas en una mesa contra la pared donde un cabo se los iría entregando ya encendidos.

–Lo que te voy a hacer no te va a gustar –me aseguró muy reposado, mostrándome un cigarrillo sin prender aún–, ni a mí me gustará tener que hacerlo. En Rusia, ni te tocaría. Te traía a tu madre y a tu padre, te los ponía delante y antes de que te matara al padre estarías hablando. Esa monstruosidad precisamente es lo que intentamos evitarle a este país.

El odio con que me afincó los dos únicos cigarrillos encendidos que tuvo tiempo de apagarme en el pecho me demostró que era sincero.

–Si todos los jefes –decía entre cínico y veraz– hubiesen puesto el celo que yo ponía, no tendríamos usted y yo esta conversación porque ni usted ni ningún cubano habría tenido que salir huyendo de Cuba.

En Miami no fuimos amigos pero nos llevamos bien. Incluso, con los años, le encargamos a su agencia (modesta pero muy eficiente Pinkerton local) la seguridad de papá y la mía en dos ocasiones. En fin, dramáticas cosas de la guerra civil que ya van siendo anécdota.

Pero volvamos a la idea de Conte en aquel Miami de la Antigüedad antes de disgregarme con el recuerdo de mi episodio con Ventura en casa de Dominguito. Concluía Conte luego de un repaso por la historia universal:

–El amor a la patria y el odio al tirano que la oprime son un mismo sentimiento. Sea pues, ése el sentimiento que nos una y hallemos en ese sentimiento el perdón para el asesino de ayer.

Esto fue mucho.

–¡Asesino el coño de tu madre! –replicó desde el fondo una voz ofendida.

Y eso será otra vez la bronca, el sal pafuera, hijeputa. Los funcionarios norteamericanos que tramitaban los papeles de los recién llegados advierten que, o se llaman al orden los señores polemistas o se llama a la policía.

Siguen argumentos duros, desesperanzadores, pero correctos. Los mismos argumentos de papá, ni que Conte se los hubiera escuchado, y en definitiva los mismos de Ventura, de Dominguito y los míos propios como ya dije. Y con el tiempo, los de muchos cubanos exiliados. Esa gente de Allá no permanecería de brazos cruzados cuando les quitaran lo regalado por Castro; y antes de la retirada de los americanos que nos convoyarían en la invasión, ya estarían quemando caña, echando abajo puentes, arrasando cuarteles, tendidos eléctricos, redes de gas, de agua, de teléfono. El copón divino.

–Han tenido un arma en las manos, han sido entrenados para usarla y la han usado en el Escambray y en la Sierra de los Órganos y en La Cabaña y en Puerto Boniato. Puesto en buen español, esa gente de Allá nos obligaría a vivir, durante mucho tiempo, haciéndoles lo que durante cinco años nos hicieran los batistianos a nosotros. Luego entonces, se debe cambiar la visión de los militares del régimen depuesto.

En la nueva versión propuesta por Conte Aguero, nosotros, los supuestos buenos de antes de 1959, éramos en realidad los malos, los peores. Nosotros, los que con recursos materiales y exceso de pasión ayudáramos a ganar a Castro. O sea, el grueso de los cubanos. Políticos profesionales, comerciantes, empresarios y pueblo en general, acopiando medicinas para la Sierra o vendiendo bonos, o escondiendo perseguidos, en fin. Cosa que no deja de ser cierta, pensé repasando los hechos. Además del atentado que con Aureliano le estaba preparando a Batista y que por un tilín no llegó a producirse, papá mismo contribuyó con fuertes sumas de dinero, y facilitó en tres ocasiones la transportación de pertrechos para la Sierra en carga de ferrocarril disfrazada de maquinaria de ingenio. Fue papá, además, con mi padrino, activista en la movilización de las organizaciones cívicas, las entonces llamadas fuerzas vivas, que con el Bloque Cubano de Prensa al frente, obtuvieran, veinticinco meses después de los hechos del Moncada, la amnistía para sus participantes.

–Ocupados en culpar a Batista por meterse en plena madrugada en el campamento militar de Columbia a deponer el gobierno constitucional de Carlos Prío Socarrás, nadie se dio cuenta de la realidad. Nadie la comprendió. Nadie, todavía a estas alturas –seguía diciendo Conte–, nadie la había sabido justipreciar. El general Batista está en ese 10 de marzo de 1952 cuya segunda parte aún no ha terminado, deponiendo un gobierno constitucional, pero corrupto. Está extirpándole al país un gobierno minado por el caco y el gánster, gobierno que amenazaba prolongarse en las elecciones previstas para el primero de junio del siguiente año 1953, dado el fraccionamiento que el suicidio de Chibás había dejado en los simpatizantes del Partido Ortodoxo.

–De acuerdo –interviene con mucha facundia un tipo medio calvo que iba a obtener un rápido quórum–, pero al meterse Batista en Columbia está dando lugar a que Castro se meta en el Moncada.

Sigue aquí una nueva versión del viejo enigma filosófico de quién fue primero: si el huevo o la gallina. Batista, se defendía Conte, entró en Columbia a fundar, a construir; allí no hubo sangre. Castro, en cambio, entró en el Moncada donde no vivía Batista ni estaba Batista de visita ni ninguno de los guardias del cuartel había matado a nadie todavía. Los ha sorprendido durmiendo, los más en tragos, acabados de llegar de los carnavales, y en un país en paz. Porque, salvo el disparo que terminara con la vida de Ruben Batista días después de la manifestación estudiantil del primero de febrero del propio ´52 –manifestación en busca de espacio en la prensa–, el país después del 10 de marzo había permanecido en paz. No es la situación que se vive el 13 de marzo de 1957 cuando los jóvenes del Directorio Revolucionario asaltan el Palacio Presidencial –donde sí vive Batista y donde sí está Batista en ese momento– y cuando ya venía la sangre corriendo por las calles hacía rato. En todo lo demás es también, aquél hecho, proclama Conte visiblemente emocionado, un hecho muy distinto de su precedente el Moncada. Esos jóvenes del Directorio entraron en el Palacio Presidencial al descubierto, sin disfraces de soldado, y lo hicieron a pleno sol, en un palacio que además de custodiado por una guarnición, puede contar en cuestión de minutos con las tropas de dos fortalezas de los tiempos coloniales, con más de cinco estaciones de policía en sus inmediaciones, más los tanques y los aviones del campamento militar de Columbia, a menos de diez kilómetros de allí.

–¡Increíble que hayan podido esos locos llegar al despacho de Batista y salir con vida muchos de ellos! –me había comentado Ventura, que admiraba aquel valor aunque liquidara fríamente a cinco de ellos un mes más tarde–. No se rindieron cuando los tuve copados, y habían llegado demasiado lejos. ¡Meterse en la casa del Presidente! Si no paras eso dando un buen escarmiento, a dónde no llegarían las cosas.

Según Ventura, el desafuero constitucional de Batista al meterse en Columbia a deponer a Prío puede considerarse un mal menor; a diferencia de lo que él llamaba el intento genocida del Moncada, donde el otro, el ambicioso, prometiendo deshacer el desafuero de Batista, se disfraza de discípulo de José Martí, y no más tomar el poder, busca alianza con los rusos, fusila a todo el que se le oponga, le quita lo suyo a todo el que tenga algo mientras sigue invocando a Martí, cuya animadversión contra el socialismo dejó expuesta en su intensa crítica al libro de Spencer, mientras proclama con la mayor cara dura del mundo, ¿elecciones para qué?

Como ya dije, eran los pensamientos de papá y de mucha gente con cabeza en esos tiempos. De modo que en eso coincidían con aquel que a mi llegada al Refugio preguntaba quién sabía hacer un nudo, y que resultó ser, según supe después, pues en el tumulto no logré verle la cara, el capitán La O, para quien Batista, además de poner orden en el país, es el creador de la nueva Habana. Con sus tres túneles, los edificios altos de El Vedado, la Plaza Cívica, media docena de modernos hospitales, la Ciudad Deportiva, la Vía Monumental y nuevas urbanizaciones en Barlovento, Aldabó, Fontanar, Nuevo Vedado, Altahabana y Biltmore entre otras. Todo eso y más –dice, con la voz tomada por la nostalgia de esa Habana dejada atrás.

–Toda esa Nueva Habana –remataba Conte–, creada en menos de siete años y con un azúcar lejos de su mejor precio.

–Toda esa Nueva Habana –replicaba desde el fondo una voz indignada–, mientras Batista mataba y robaba.

–Robar en Cuba –tercia Ruiz del Valle–, menos Estrada Palma, ¿cuál presidente no ha robado?

No faltan desacuerdos, hay malas palabras, incluso insultos, pero de ahí no pasa. Democrático, Conte ha adicionado que su nueva versión de la Historia cubana del siglo XX era una verdad inobjetable a la vez que no lo era, puesto que la Historia no la hacen tanto los hechos como la interpretación que de los hechos se

163

haga, por lo que dejaba el tema abierto para su discusión en el tiempo.

Melgarejo, también antiguo militar, sigue el hilo de La O y en plan de oráculo de lo no sido, llega hasta el 20 de mayo de 1959 con el general Batista entregándole la banda presidencial a Andrés Rivero Agüero. Recobra así el país su normalidad y el 10 de marzo pasa a ser en el recuerdo de los cubanos una amarga medicina para la cura de antiguos males y con una capital renovada.

–Perfecto, compadre, pero cállese ya –irrumpía, más que interrumpir, una voz conocida. Era la voz de tambor del capitán La O.

No sé si leyéndolo, decía muy fluido desde el fondo del vestíbulo:

–Como coda a eso que decías, Conte, me gustaría agregar algo para que no se me vea haciendo nudos por gusto. Los que ayer reprimimos porque era nuestro deber asegurar la paz de la familia cubana, y para que no nos mataran, claro; hoy se despachan fusilando y rompiendo puertas para llenar las cárceles. Por eso no deberá darnos ninguna pena hacer Allá lo que tengamos que hacer. "Para que no me lo hagas tú mañana, te lo hago yo hoy". Esa era la coda.

Días atrás un abogado especialista en Derechos Humanos citaba aquella coda del capitán La O, y presentaba algunos adelantos de una investigación académica, según la cual, los fusilados en Cuba hasta el presente año 2010 podrían duplicar los cerca de tres mil muertos habidos en el país entre mediados del ´53 y el 31 de diciembre de 1958. Los sancionados hasta dicha fecha por razones políticas con penas de hasta treinta años sobrepasan los cien mil. Y en ese mismo período (cosa que nunca se sabrá) el cálculo de los desaparecidos tratando de llegar a La Florida se sitúa entre veinte y cuarenta mil balseros. De los caídos en las guerras de ultramar no se atrevía a refutar las cifras oficiales pero tampoco le ofrecían confianza.

Por ser una investigación en la que no tuvo acceso a los archivos del régimen, admitía inexactitudes de más o de menos. Sin embargo, al paso que han seguido yendo Allá las cosas, si dichos estimados no fueran ciertos, pronto lo serían.

Y esto es lo que asusta. Lo que da miedo. El no saber cuál pueda ser aún el costo de todo este infierno empezado un 10 de marzo que ya va pareciendo eterno.

Miedo que me recuerda el que me aturdió una tardecita de abril de 1960 yendo por San Rafael hacia el Parque Central donde tenía parqueado el automóvil. Iba a pie. Sólo. A la altura del cruce con Consulado, vi dos dirigentes nacionales de la Central de Trabajadores vestidos de milicianos igual que yo y armados igual que yo. Los imaginé salidos de alguna reunión en espera de ser recogidos por un chofer, ya que en esa calle no se podía parquear. Tenía con ellos las mejores relaciones, por lo cual no debieron darme miedo. Pero me lo dieron. O sentí miedo al verlos. No lo sé. Fue algo muy extraño. De repente el mundo se detuvo. El universo desapareció de golpe y yo me hallaba en esa nada sin historia, en esa intemperie de lo que no ha sido ni será, muy solo y sin saber quién era, pero tomando nota. Cuando me sentí volver de aquel viaje por la eternidad que tal vez no haya durado un segundo, buena parte de lo que entonces estaba por suceder en el país y en el mundo me había sido dado vivirlo y olvidarlo, pero quedándome la sensación de haberlo vivido, de haberlo sabido y estar muriéndome de miedo. No tengo otras palabras para decirlo. Ni nadie en el hospital pudo explicármelo. Un verso de Félix Pita Rodríguez me vino a la mente. "Recordar el porvenir es arriesgarse a vivirlo de nuevo", y agradecí a Dios el haber olvidado lo que tan de repente había sabido. Qué susto, Señor. Aunque no era susto, era algo más. Era miedo y era dicha a la vez. La inmensa dicha y el pánico de quien sabe que le ha ocurrido algo muy grande pero no sabe aún por qué ni para qué.

Con la distancia que corresponde, pensé en la experiencia de Saulo al entrar en Damasco. Aunque yo no oí ninguna voz, a mí me sucedió lo que he contado y la gracia de sentirme cambiado, acabado de nacer. Dicho con otras palabras, ya yo no era yo. Esto me ha permitido, a partir de entonces, seguir sintiéndome alguien que después de muchos años de haber sido dado por muerto en la guerra (o tal vez de haber muerto de veras en la guerra) logró regresar a su casa sano y salvo. Mamá no me dejó quemar la ropa de milicias que me vio amontonando en la cama con la boina negra y la verde, con el zambrán, las botas y la mochila. Ella no lo hacía por conservarlas de mi recuerdo de la otra vida. Lo hacía por Eugenia, para no enterarla. Por mi forma de llegar a la casa abrazando y besando, papá y mamá me creyeron loco. Nunca me habían visto tan efusivo. –¡Yo no sabía que los quería tanto! –les decía al abrazarlos como si pretendiera romperles hasta el último hueso cuando en realidad pretendía meterme dentro de ellos, ser uno solo con ellos.

Si he recordado ese gran momento, es, te lo aseguro, porque de algún modo al leer los estimados del especialista, tuve la impresión de conocerlos de antes, la impresión de que como un eco del porvenir que retumba en el pasado los había conocido y olvidado en aquella tardecita de mediados de 1960 en San Rafael, que cambiara mi vida en un pestañazo.

167

Nunca reinó entre los expedicionarios lo que pueda llamarse una unidad verdadera. Persistían los escrúpulos, las supersticiones incluso. El padre Ross, mi último confesor en Belén, no dudaba de ganar la guerra, pero iba deseando perderla. "Ganarla nos costará el alma", me decía en el avión. ¿Argumentos? Los mismos que el año anterior le oyéramos al capitán La O pero que ahora, dichos con otras palabras, parecían nuevos ellos también.

–Una cosa es gobernar y otra matar, Tomás, y Allá, durante años, como me ha dicho tu padre y lo sabes tú y todos los que estamos en esto, no se podrá abrir la puerta de la calle sin temer que te disparen o que tengas que disparar.

–Sin embargo, no es el momento de pensar en el alma, padre. A usted no le gustaría que le cortaran una pierna ni le gustaría tener que cortársela a otro, pero puesto a escoger entre ser el amputado o el amputador, no se detendría a pensarlo.

–Déjate de sofismas conmigo, Tomás –me dice el padre Ross con la pena de quien me estuviera viendo arder en el infierno–. Es la hora de la verdad.

Lo sé. Mi conciencia me lo dice, me lo advierte, pero el otro que soy yo no sabe taparse los oídos. Un día y otro, todos los días lo pienso viendo tu tristeza, Carla mía, aunque dando por sabido que no me hablarías de eso. Con los codos apoyados en la baranda del balconcito que airea el flamboyán, hablo a diario con Dios al levantarme y Dios me dice que no vaya. Yo le respondo que ir no es sólo un problema de honor. Es un acto de amor a la patria, una ofrenda de amor a la humanidad y por consiguiente, un acto de amor a Él. Impedirle a los rusos consolidarse en Cuba, les impediría extenderse por el resto del continente, lugares donde por desgracia persisten las condiciones para que un virus como el de ellos prospere en diez minutos.

No recuerdo si fue Bolívar o Rubén Darío quien mirando la influencia de Estados Unidos expandirse por América se preguntaba si tantos millones de seres terminaríamos hablando inglés. Recordar cuál de los dos lo dijo no cambia nada. Lo que sí cambiaría, y mucho, es saber que estábamos a tiempo de impedir que tantos millones de seres en este continente terminen hablando ruso.

¿Cómo podría, pues, perderse el alma tratando de salvar el alma de tanta gente? La realidad nunca ha sido ideal. Además, Señor, estoy obligado a ir. Ayudé a esa gente a copar la Isla, los ayudé a apoderarse de ella. Soy parte de aquello. Un pedazo muy importante de mí se ha quedado Allá y sin ese pedazo yo no soy yo, no me siento yo, no podría sentirme yo. Es mi manera de explicarlo. No permitas, Señor, que sea mi porvenir el de un eterno mutilado de su patria.

Empero, a veces no estaba seguro de aquel discurso mío, propio de un hombre que aunque creía en Dios, no se sentía muy seguro de su juicio.

—Qué suerte la tuya, le digo a José Antonio un día al regreso de quemar caña. Hablo de José Antonio el mecánico de mi avioneta, no del otro, el canalla, el que años después me disparó por la espalda. Mulatón amante de la cerveza, del lechón asado y de las buenas hembras, y en La Habana, desde el principio, uno de los hombres más valiosos de Dominguito en la lucha contra Castro; a José Antonio le tenía muy sin cuidado lo que después pasara Allá. Si los vencidos se portaban bien y devolvían lo que no les pertenecía, él no le levantaría la mano a nadie, me había dicho en una barra, cerveza en mano. Pero por qué plantearse esas cosas. Esa gente, según él, no se resistiría ni ahora ni después. Es por eso que este hombre duro que en La Habana del '59 quemó tiendas y puso bombas, entra en esta historia. Por ser de los que creía que al pisar tierra cubana, saldrían de todas partes a homenajearnos con flores y miel de abejas gente escuálida y descalza por el régimen de angustias en que vivían bajo la bota filocomunista.

No lo inventó él. Era una de las predicciones que circulaba en aquel Miami lleno de astrólogos, cartománticas y pitonisas, entre las cuales las anunciadas por la doctora Alonso, iban a hacerme famoso en nuestros días de prisioneros en La Habana entre los muchachos de la Brigada. Tendrías, Carla, que haberme visto imitando los gestos de la doctora, sus graves inflexiones, su tono académico, sin alterar su discurso ni cambiar en nada la tesis. La gestualidad y las entonaciones de la voz de la doctora nada más. ¿Te acuerdas? No te lo pregunto por recordarte la puñalada de aquella noche. Es por ver si al fin logro olvidarla.

Todavía no hace mucho, en un nuevo aniversario del desembarco de la Brigada en Bahía de Cochinos, no faltó quien recordara mi parodia de aquella disertación y, por supuesto, no pude negarme, tuve que repetirla. No podían aquellos valientes de 1961 saber, ni entonces ni en este nuevo aniversario, que, semejante al cómico Garrick de que nos hablara el poeta, yo también suelo utilizar la risa para esconder la lágrima. Pues, desde luego, Carla, si pienso en aquella noche de la doctora Alonso, pienso en Gabriela del mismo modo que si pienso en Gabriela pienso en aquella noche, y mientras la doctora diserta, te vuelvo a sentir agarrándomela con disimulo por debajo del abrigo y la cartera que con toda intención habías tendido entre mis muslos y los tuyos al sentarnos en la salita de conferencias con olor a naftalina, y vuelve a estar sentada al lado mío la adolescente Gabriela con su sombrerito provocador y la cómplice sonrisa de quien celebrara tus provocadoras manipulaciones. Y por fin cedo, enloquecido cedo, no puedo más con esa mano allá abajo y me dejo sacar del asiento y conducir al baño halado por ti. Pero llega Gabriela, impetuosa abre la puerta con la punta de una bota de charol, me sacas del baño empujándome por la espalda y cierras la puerta.

Todo esto tiene que ser un sueño, me digo en una de mis cartas. En algún momento he de despertar. Tengo que despertar. Tal vez aún no he salido de Cuba. Tal vez soy alguien que sueña, que enumera, que adivina. Alguien que sigue el hilo lógico de ciertos asuntos. Un loco, un novelista, Félix B. Caignet quince años antes escribiendo el capítulo de su nueva novela radial. Tal vez nada de esto ha sucedido y soy el producto de ese loco, de ese novelista. No es posible que yo sea yo. Por fuerza todo esto tiene que ser un sueño, uno de los muchos que he tenido en mi vida. Durante más de cinco horas, sin abandonar estas sábanas donde persiste tu olor pero de donde faltas hace tres días, te he visto con los ojos lilas como nunca pasar con arrepentimiento el dedo por las vidrieras como tienes por costumbre hacer mientras sigues acercándote, llegas, subes la escalera, te tiras de rodillas a los pies de la cama, agarras mis zapatos, los besas. Me cuentas con lágrimas enormes que te has pasado estos tres días sentada junto al espectro de mi recuerdo en Bayfront Park.

Ya de niño, cuando mamá me castigaba, me veía con mis bultos a cuestas abandonando la casa y no volviendo hasta ser ella una viejita y yo un famoso piloto de aviones invisibles al que hasta un Howard Hughes le pedía autógrafos. Al cura Federico, que por castigarme en la escuela me quitaba el postre en el almuerzo y se lo comía delante de mí y además me ponía todas las semanas mil líneas para hacer en casa de sábado para lunes, lo maté miles de veces con la imaginación antes de que en la vida real, se me ocurriera durante una excursión de los *boy scouts* meterle en la sotana un alacrán cuya picadura le causó una reacción tal que tuvo que ir a tratarse a España. Me he pasado el tiempo imaginando, inventando contra-partidas a la vida, oscuras compensaciones.

En la lancha cuando veníamos para acá soñé infinitos encuentros contigo. Miami por supuesto no era en esos sueños el Miami que me aguardaba, y a diario coincidíamos en los mejores restaurantes, en las grandes tiendas, en los clubes, en el hipódromo, yo por lo general del brazo de actrices famosas, de ricas herederas en plan de veranear y ni te miraba al cruzarnos, así como si te hubiera olvidado, cosa de humillarte, de darte celos. Recuerdo cada uno de esos sueños con la exactitud con que recuerdo cuando te encerraste en el baño con Gabriela y después te fuiste con ella. Tanto he soñado en mi vida que a veces la realidad y el sueño se confunden en mi memoria. Sin duda ahora no estás ahí caída a los pies de la cama, besando mis zapatos, pero también es posible que nada de esto que me haces, so hija de la gran puta, le haya pasado a mi persona. Debo, tengo que despertar. O todo lo contrario, debo seguir soñando. Soñar que estos tres días no han sido. Que ellos también han sido un sueño. Que yo no soy yo, Señor. Que soy el novelista, el loco, incluso el dirigente de otro tiempo que soñaba con un planeta donde sólo ondeara la bandera comunista. Pero no es un sueño, Carla, es verdad que no estás ¿Y por qué negarlo? También los terrores nocturnos me hacen volver a ti.

Por lo general cuando te pierdes me voy a dormir a casa de las hermanas Benítez. Contadoras públicas que fueran en La Habana herederas de una pequeña joyería, siempre vestidas de negro. Las viuditas, les decían, aunque no se habían casado, y Herminia, la mayor, no tendría más de 34 años. Tampoco se les sabía nada, excepto que tenían unas piernas y una cintura como para adorarlas en el mayor silencio, sobre todo Ana María. Para saberlo, quién mejor que Miguel Ángel Fundora y yo que en el ′54 la espiáramos cambiándose de ropa en Varadero. Aquí tampoco se les sabía nada. Gente muy extraña. No predican, no practican ningún tipo de religión exótica. Sencillamente no tiemplan, no singan, no les gusta, no lo necesitan. Tampoco son lesbianas. Es algo que ni se entendía en La Habana y en Miami tampoco se entiende. Allá nadaban, y según le oí decir una vez a Camilo, que le tenía el ojo echado a Ana María, entre venta de bonos del M-26-7 y donaciones de comerciantes, le habían entregado a la Dirección Nacional del Movimiento más de quince mil pesos. Aquí se conforman con ver la TV, arreglarse las manos y los pies y mantener limpios y aireados los cubículos en que han dividido la casa para alquilarlos por semanas, todos los cubículos con el espacio neto para una cama personal, una mesita y una palangana con agua. Eso sí, casa decente, mucho silencio, nada de radios altos y huéspedes escogidos.

Mantengo allí un cubículo alquilado. De este modo cuando no estás me salvo de quedarme a dormir solo en casa con la luz prendida imaginando dónde puedas estar, con quiénes y haciendo qué. También lo imagino en casa de las Benítez, pero en casa y con la luz encendida demoro en dormirme mucho más o no me duermo. Acompañado, necesito la oscuridad, solo, no la soporto. Son miedos que en parte le atribuyo a Eugenia, la pobrecita, con todo lo espía que pueda haber sido (que eso nunca pasó de una sospecha). Cuando mamá y papá salían de viaje por Europa o venían a Miami los fines de semana o se iban a México, uno de los lugares preferidos por mamá; Eugenia permanecía por las noches a mi lado hasta dejarme dormido hablándome de la otra vida. Aún me parece estarla oyendo contar, con lujo de detalles, los espíritus que había visto desde que era niña, lo que algunos de esos espíritus le dijeron y del dinero enterrado que le dio un muerto a su tío abuelo Eusebio, hermano de su abuelo el cimarrón que peleó con Maceo y le hacía a Maceo el quimbombó bien picante con tasajo de lo que fuera y bolas de plátano maduro, plato que todavía hoy es mi preferido, no por haber sido el preferido de Maceo sino por ser el preferido de Eugenia. No me hacía los cuentos para meterme miedo pero el miedo que me daba escuchar todo eso me hacía quedarme dormido tan pronto la oía empezar. Mamá por su parte no dejaba de amenazarme con el Coco si no me comía toda la comida.

Sin embargo no sería hasta llegar a Miami y comenzar a dormir solo, sin nadie más en la casa, cuando el miedo a la oscuridad se me convertiría en terror. Verdadero terror ya instalado para siempre. Aún hoy cincuenta y tantos años después, cuando tantas cosas he superado, no podría dormir solo si no es con luz. Tengo miedo del esbirro que tuvimos que matar Dominguito y yo porque el tipo que tenía que matarlo no llegó y la oportunidad no se volvería a presentar, tengo miedo del caballito que nos cayó atrás a Sierrita y a mí en su Harley a la entrada de Luyanó, tengo miedo de las locuras que hice con Luciano Nieves, tengo miedo de los estragos que dejaron las bombas del Nash y las del Studebaker, tengo miedo de Emelina la pobrecita criada que se suicidó a pesar de que papá le buscó y pagó el médico para el aborto y que la hizo otra vez señorita, tengo miedo de Irma Saavedra y Montes de Oca por las veces que le deseé la muerte, tengo miedo, en fin, de que se me aparezcan esos muertos delante de la cama y entonces tengo que encender la luz, prepararme un trago, buscar una pastilla, pensar con prisa, razonar como un hombre inteligente. Pero el terror y el golpe en el pecho no cesan, el sonido del corazón percute contra la almohada. Es un tambor violento, un tam tam lúgubre que anuncia que el corazón está al pararse, que se parará cuando los golpes retumbantes empiecen a espaciarse y parezca que el próximo golpe, ése que está ahí al llegar, será el último. En tanto sé que aunque no los vea, todos esos muertos y otros que no he mencionado para no asustarme más de lo que estoy en este momento, permanecen en la habitación observándome desde su perfecta invisibilidad. Si mirara fijamente hacia un punto los vería, lo sé, pero también sé que caería muerto del susto. Y agarro la ropa como puedo, el corazón clamando que ya no puede aguantar más, que apenas un último golpetazo, las sienes a punto de reventar, y estoy en la calle.

Busco en el barcito de Lennox y la 9na a Yolanda; a Elizabeth Borne la encontraré siguiendo por Lennox antes de llegar a Lincoln Road en casa de su compromiso Daisy Arias con su cigarro de mariguana oyendo a Johnny Mathis. O camino por Ocean Drive o Collins o Washington, donde a partir de las once florecen haciendo la noche, putas que parecen modelos de televisión o que lo fueron. Escojo una, le pago y me la llevo a dormir para que me acompañe nada más. O me voy directo a la casa de las Benítez a fin de ni tener que sentir el olor de otra que no seas tú, Carla.

Curiosa nota esta que dice: "con lo que Allá me gustaba oírme llamar Tom y lo que Aquí me jode. Tomás, preciso a los recién conocidos que me salen con eso, Tomás. Tom para mis íntimos, para los pocos de entonces". Escrita a mediados de los ´60 en una de las cartas que componen la historia de la cual te estoy leyendo, ya seleccionados y puestos aparte los momentos que se corresponden con el período del joven fugitivo que a tu lado he sido. Empecé a escribir cuando tenía siete años, escribiéndole al amigo imaginario de los niños que no tienen amigos o que son infelices aunque nada material les falte. Después pensé que me escribía a mí mismo, porque yo era, o había logrado hacer de mí, dos personas. Una, para que él me escribiera y otra para que yo le contestara. Después me di cuenta de que, en el fondo, le escribía a Dios para que se apiadara de mi soledad, para que tuviera piedad del discriminado que era, en la escuela sobre todo. Y en otras cosas por las que yo habría renunciado hasta a nacer rico.

En cajas de zapatos en el fondo del clóset, empecé a guardar las cartas. Eso, al principio. Después le pagué a un muchacho de la calle para que se robara un buzón de correos, un buzón de hierro de los de uso público. E hice que Ramiro el jardinero lo fijara a la pared en mi cuartico de la azotea. En Miami siempre eché de menos mi buzón de hierro con el escudo nacional en relieve.

Desdoblar pliegos, como he estado haciendo en estos últimos días, mientras seleccionaba los de nosotros y guillotinaba el resto, si bien es triste como cerrar un sarcófago donde yace alguien muy querido, ha sido también revivir la emocionante odisea de llegar al Miami de hoy. Verlo extenderse de horizonte a horizonte y tocar el cielo a través de lo que fueran ciénagas y fangueros poblados por el cocodrilo y el mosquito. Ahí está Tomás en su papel de hombre de familia y hombre público. Haciendo por la libertad de Cuba todo lo que las circunstancias aconsejaban; seguir sus intervenciones en el Congreso abogando por la causa. Esas cartas resumían la historia de mi vida.

Sigo con otra carta, sin saber qué hace en esta selección, aunque no deja de ser interesante. Es la descripción del atentado en tiempos de Batista que tuvimos que cumplimentar a tontas y a locas Dominguito y yo porque el cabrón de Heriberto, que era el designado para disparar, no llegó a tiempo, Dios sabrá qué le sucedió. Y era una oportunidad que habría costado vidas de dejarla pasar. Resume además, cosa que no me da gusto recordar, cuatro acciones de mis días de fugitivo escondido en casa de Susana Orozco sin relación con mis salidas de por la noche con Sierrita. Susana, ¿te acuerdas?, la puta que pagó mi padrino para que me entrenara los domingos después de misa. Episodio muy divertido, por cierto, a la vez que misterioso, escrito en cielo, como después se pudo ver, que contribuyó a consolidar en mí la idea de haber sido escogido por el Señor para lo que iba ser el sentido de mi vida.

Tan pronto en la Iglesia del Carmen terminaba la misa de ocho, ya estaba yo en la sacristía cogiéndole al cura el papelito de haber oído misa allí para presentarlo en la escuela; de ahí volaba hasta el cuartico del solar de San Francisco detrás de la Iglesia del Carmen, donde vivía Susana. Cambié de iglesia para ahorrarme la media hora de viaje en guagua desde la capilla de Belén en Marianao. Todavía no eran los años del Porsche. No tenía edad para la cartera dactilar.

Locuaz, limpia, Susana se bañaba con agua con verbena y conocía todas las posiciones del oficio, todos los remedios para que se te pare, y todas las teclas secretas de la mujer para enloquecerla, para hacerte memorable. Sin desdorar, Carla, con ella en la boca, ni tú en tus momentos más inspirados.

Susana se daba gusto manoseándola: por arriba, por abajo, agarrada por la cabeza, todo esto con arte, con mucha exquisitez. Antes de Susana yo era uno de esos pobres diablos que no han acabado de ponerla donde va, cuando ya terminaron. Humillación, vergüenza que me llevó a pensar en el suicidio un sábado por la tarde cuando me dijo llorando la pobrecita Emelina después de cinco fracasos, "así nunca acabarás de metérmela, Tom". Aquella melancólica muchachita que trabajaba en casa ayudando a Eugenia, iba a mi cuartico de la azotea a que le leyera versos de Buesa, y luego de los cinco intentos, se fue tan virgen como llegó. Sólo por eso merecería alfombrarse con claveles como en el pasodoble de Agustín Lara, el paso de Susana Orozco. Susana era muy exigente, y además, cobraba por hora.

–Con lo que te he enseñado y lo que te dio la naturaleza –le decía al adolescente infatuado que fui–, por donde pases el ojo será ver las señitas, los suspiros, los teléfonos anotados cayéndote a los pies.

En los años que siguieron nos veíamos a veces para practicar un rato, para confrontarnos, ya sin lucro, fraternos, deportivos, como tenistas que al cruzarse en el club acuerdan un nuevo partido para el sábado siguiente.

Gracias a esa hermosa y desinteresada relación nacida de manera tan peculiar, cuando en el ´58 me veo perseguido, es Susana Orozco quien sin un pero me acoge en su casa. Tiene viviendo con ella a su madre, mujer jovencísima todavía, y a su hermanita de once años a la que mantiene semi interna en una escuela de monjas, pero a las dos, Susana ese mismo día les compra un pasaje en la Terminal de Ómnibus para Palma Soriano. Y me acoge. Me salva la vida y cambia la suya.

Vivía en el tercer piso de un edificio, casi frente por frente al almacén de víveres. El 1005 en San Lázaro. Desde allí, mientras hacía la compra de la semana vio aquel mediodía de fines de septiembre del ´58, llegar al coronel Esteban Ventura con su estrépito de perseguidoras y sus uniformados con ametralladoras escaleras arriba, y antes de que acaben de meterme en la perseguidora ya está Susana telefoneando. Le había hecho memorizar el teléfono de casa y el directo de papá en su oficina. Ahora, como te anunciara, mira tú los misterios de la secreta escritura de Dios.

Como Susana después de mi detención en su apartamentico no puede quedarse en La Habana, vuelve a Palma Soriano, pero como hasta Palma Soriano llega el brazo de Esteban Ventura Novo, Susana Orozco, a quien la revolución le importaba un carajo, decide no seguir huyendo. Por lo que a mi regreso de Nueva York me contaría al año siguiente, llegó a la Sierra Maestra con las armas de un guardia rural que se encontró en la carretera mientras llovía, y lo dejó desnudo y dormido debajo del encerado de un camión de carga. Bajó de heroína rebelde.

Sigo leyendo, resumo, y trato de despojar cuanto pueda de su cursilería de entonces, de ese tonito pintoresco que te hacía reír ("picúo" lo llamabas), tonito cuya ausencia hoy deploro, no por la pérdida del tonito; por la ausencia de quien lo escribió, por la ausencia de aquel joven que se perdió en el tiempo, de aquel joven que se volatilizó, arrollado por la retórica de la prosa periodística y de la legal-comercial, pero de aquel joven que tan feliz era puesto que te tenía, aunque no fuera tu dueño. Entre otras perlas de dicha familia estilística tengo una cazada al principio de este recuento: "El corazón como un niño bailando suiza en el pecho". Ella sola es tan convincente…

¡Cómo podría avergonzarme haber escrito una cosa así! Todo lo contrario. Dichosos tiempos aquellos, en que por joven y sin visión de mundo no me sabía bajo el influjo de la emocionada prosa del Gustavo Adolfo Bécquer de las *Leyendas*, de la poesía de José Ángel Buesa (a quien sigo considerando un señor poeta del que mucho cabría aprender) y de las novelas radiales de Félix B. Caignet, el Shakespeare de mi madre no obstante su título de doctora en pedagogía. Días de oro que no volverán. Pobre patria espiritual, lo sé ahora, pero mía, la patria que llevo tatuada en el alma con el sabor de la yuca con mojo y el lechón asado; la patria que no cambiaría por ninguna otra por mucha felicidad que en esta otra me ofrecieran. La patria que eres tú misma, Carla, porque tu nombre me la evoca, porque tú olor y tu sabor y el color de tu voz y todo lo otro que tú eres me la evocarían aun cuando para sentirla en todos sus demás registros no tuviera el himno, la bandera, mi virgencita de la Caridad, mi Celia Cruz con Bienvenido Granda o a la mundial Lina Salomé con la que tantas veces me otorgué el privilegio de completar en el baño lo que jugando, había empezado detrás de una puerta con mi prima Enriqueta. En fin, Carla del alma; amarte, saber que te hicieron para mí tal vez sea, de algún modo, mi más sincero sentir que la patria no es una palabra, no es una abstracción, y Dios te bendiga, patria mía, himno de mi corazón. Muero de ti.

Hablar contigo tiene eso bueno: da ánimos. Siento a La Muerte ahí con su olor a gardenia y sus graves maneras pisándome los talones, como antes te decía, pero después de hablar contigo tal vez tenga que esperar. No me rendiré. Tú me das ánimo. Y yo lo quiero ver. Nací para verlo me dice mi memoria del porvenir. Imagino uno de esos sorpresivos "de pronto" de la vida. Nadie empujando desde afuera. Todo desde adentro. Una larga noche que se desploma y sale el sol.

Esto me hace pensar en Ballester, el hijo de tu profesor de francés. Tienes bastante en común con él, aunque no vine a darme cuenta hasta los primeros días de este año 2018. Ni tampoco de la forma en que pudo contribuir a hacer de mí el que soy en realidad. Helado, pero helado me dejó el flaco Ballester cuando luego de abrazarme me dice: "¿Aquello de Allá?, agotado, compay. Ni Aladino con su lámpara maravillosa lo salvaría. Aquello es un barco que se hunde. Tenía que ser", seguía Ballester empezando a enumerar y omitiendo el sujeto: "Traicionó a todo el mundo, nos traicionó a todos, se traicionó él mismo. Empezó traicionado a José Martí, de donde decía venir. Martí dijo: 'Un hombre que no se atreve a decir lo que piensa no es un hombre honrado'. Y él nos prohibió ser honrados. Desde el principio nos cosió la boca. Estableció la censura en los libros. Periódicos, los de él. Y en los demás medios, igual. Los de él. Martí dijo: 'Con todos y para el bien de todos', y él dijo: 'Con todos los que estén conmigo y para el mal de los que no lo estén'. En fin, Martí habló de una república de pequeños y medianos propietarios, y él abolió a los pequeños y a los medianos propietarios y se convirtió en el propietario de la nación. Y ahora se ha hecho enterrar a unos pasos de José Martí, digo, si es que ahí estuvieran sus cenizas y no la piedra pelada esa con su nombre y un poco de talco de barbería de la precavida marca Porsiacaso".

Torrencial como de costumbre, hacía el Flaco Ballester esta declaración en Madrid, en casa de Ruiz del Toro, buen amigo de los viejos tiempos, quien sabiéndonos a los dos de paso por la capital española nos invitó a almorzar en su casa callándose la sorpresa del encuentro. No calculó mal. En lo que va de año, fuera de las horas con mi familia, esas han sido de las más agradables. Encontrarme de nuevo con el Flaco, caramba. Qué alegría. Emotiva relación. Imagínate. Participamos a principios del '58 en un par de trabajos ordenados por Aldo Vera, colaboramos después con el padre Boza Masvidal, que terminaría de tesorero del Movimiento 26 de Julio aquel último año de la dictadura, y en el ´59 fuimos en el recién creado Ministerio de Recuperación de Bienes Malversados, jefes de departamento y asesores del ministro Faustino Pérez –lujo humano de los pocos que de aquel tiempo perdurarán cuando se haga el balance de lo que en Cuba el viento no se llevó.

En realidad, nos conocíamos el Flaco y yo desde el ´56, de las clases de primer año de Derecho, carrera que para mí iba terminar en marzo del ´57 cuando luego del

186

Asalto a Palacio cerraron la Universidad y que Ballester lamentablemente según mi punto de vista, completaría después del ´59. Lamentablemente digo, porque eso le iba a deparar el triste honor, todavía sin graduarse, de presidir el sumarísimo juicio que se le siguió a Sierrita, y del que todos sabíamos que saldría para el paredón. No tenía defensa posible el muy cabrón, es verdad. No la tenía. Aquel león de los años del gran sueño había sido sorprendido intentando volar la refinería de Regla. Pero se daba la circunstancia, y es por esto que con toda intención dije el triste honor hablando de Ballester, de que habiendo en Cuba abogados de sobra donde escoger, lo escogieran a él que le debía la vida a Sierrita, quien en 1958 lo recogió del suelo en Monte y Belascoaín en medio de una balacera que no dejó un cristal sano en media cuadra y en cuya balacera le perforaran al Flaco un pulmón. Sierrita, echándoselo al hombro se monta en una guagua de la ruta 20 enviada por Dios que decidió detenerse al verlo plantado delante con su hombre al hombro chorreando sangre y dispuesto a dejarse arrollar, y a la que no le permitió detenerse hasta el hospital Calixto García, donde aprovechando la confusión causada por tan violenta irrupción, desapareció.

"Están formando cuadros", me dijo con pesar Faustino, mi tutor, que vivió de truene en truene pero siempre incapaz de desertar, al verme con la cabeza metida entre las manos. "Están formando cuadros y necesitan probarlos; el Partido necesita hombres en los que pueda confiar". Me imagino que de algún modo el miedo que este secreto me causó debió de estar presente aquella tardecita de San Rafael en la que me sentí como quien después de haber sido dado por años muerto en una lista de guerra (y tal vez lo ha sido), regresa sano y victorioso a su casa.

Por supuesto, este episodio ni se mencionó en las cuatro horas de aquel reencuentro en el que el Flaco no se dejó adentro ni una coma. Seguía su relato con mucha atención un empresario catalán con un ojo de cristal aunque no se le notaba, con el que Ruiz del Toro parece tener negocios. Aunque no estaba invitado, era una de esas visitas que pueden presentarse en casa de los amigos sin previo aviso. Había odiado a Franco, le oí decir a mi llegada, porque le mató a su padre, le desapareció a dos tíos, les quemó la huerta familiar y él por su parte había perdido su ojo derecho combatiendo a la juventud falangista con guijarros, pedazos de hierro, y cuanto objeto apareciera en sus años de estudiante. Sin embargo, después de la caída del muro de Berlín, pensaba que tal vez con la derrota de los republicanos, se salvó España de verse convertida en colonia del imperialismo soviético.

Enjundioso, viajado y todavía en buena forma aunque ya bastante otoñal, lo acompañaba una de esas jóvenes secretarias por las que tan a menudo suelen los ejecutivos cambiar a sus esposas de años. Por cierto, con aquella joven nos sucedió algo muy interesante. Insultada, oyendo a Ballester, interviene sin poder contener su rabia: "Vosotros sois pro imperialistas", pero el Flaco que para cáustico no tiene precio, dijo parándola en seco: "Se engaña vuestra merced, yo soy antimperialista, profundamente antimperialista, no hallaría vuestra merced a nadie más antimperialista que yo".

–¿Y entonces cómo podéis expresaros del difunto del modo en que lo hacéis?

–Es que ella adora a Fidel Castro –intervino el catalán sacando la cara por su preciosidad con disfraz de secretaria.

–Stalin también era antimperialista –acoté.

La novia ideológica del difunto Castro intentó replicar pero el flaco Ballester que sigue siendo flaco aunque para su edad se ve bien, la dejó con la palabra en la boca. Necesitaba hablar, necesitaba desahogarse, sacarse todos los resentimientos que llevaba adentro.

Relató vesanías, dio cuenta de estupideces, fraudes, mentiras, traiciones. Levantarse en Cuba por la mañana y comprobar que todavía no se había ido a pique el barco en que vivían hundiéndose, porque país no podría llamarse aquello, era lo peor de tan larga agonía. Todo el mundo deseando secretamente el colapso y el barco hundiéndose pero sin acabar de hundirse ni que alguien se atreva a ayudarlo a irse a pique de una vez. "Hablar, hablan. Allá habla hoy todo el mundo, pero levantar un dedo para apurar el hundimiento del barco, eso, ni por lo que dijo el cura". Y apiadado de sí mismo, seguía aquel viejo amigo haciendo un dibujo goyesco del infierno que había terminado siendo el gran sueño, carajo, lo más grande que tal vez nos sucediera en la vida.

–En Cataluña y en toda España los de mi generación –decía el catalán–, nacimos sabiendo que Franco era el malo. O yo al menos lo creía. Pero vosotros los que os habíais creído con un boleto pagado para el viaje al cielo, cómo pudisteis, de dónde sacasteis fuerza para presenciar semejante transformación del personaje que os vendiera el boleto y no volveros loco, digamos saltar de una azotea, pegaros un tiro.

–Porque esas cosas no suceden de golpe –concedió Ballester, didáctico–, se van adquiriendo. Como el hábito de fumar o el de beber, lo van enredando a uno sin darse cuenta. Además, al principio yo pensaba que, a pesar de todo, aquello era posible.

–¿Y después?

–Porque me parecía imposible que no fuera a ser posible.

–¿Y en tanto?

–Ver pasar los trenes.

–Hasta ahora –rematé contento de saber al Flaco, que fue uno de los muchachos de Fontán a quien yo había enseñado a disparar, aquel hombre del alma en otro tiempo, al fin carajo, al fin acá, del lado de nosotros. Qué bueno, qué alegría saberlo salvado.

–¿Hasta ahora? –Ballester no hubiera podido mostrarse más sorprendido–. Estoy en España de visita –preciso.

¿Sorprendido él, dije? Sorprendidos nosotros.

Por lo que con la mayor naturalidad contaba, tiene en Madrid un hijo más cuatro nietos y dos bisnietos españoles. El otro varón y la hembra más chiquita viven en

Miami, con hijos y nietos nacidos allá. Y la otra hembra vive en México, esa no tuvo hijos pero tiene una legión de perros. En Cuba están él y su mujer.

–Un barco que se hunde, definición correcta –asevera el catalán–. Un barco que se hunde. Todo el mundo huyendo.

–Todo el mundo, menos el Flaco Ballester –enmiendo yo, irónico.

No menos irónico, responde el Flaco:

–Como tú cuando Girón. Tú padre lo había vendido todo, ustedes no tenían nada allá.

–No es igual. Yo fui a Cuba a ganar. Yo estaba convencido de que ganaríamos. Tú en cambio regresas a un barco que hace agua por todos lados.

–Tampoco así, Tom –riposta el Flaco muy serio–. No es un barco, es mi barco. Mi Titanic.

–Pero tú no eres el capitán.

–Pero he sido uno de sus músicos. Soy uno de sus músicos.

–¡Joder! Algo así como un hechizo –dice entre asombrado y respetuoso el catalán del ojo de cristal rompiendo el silencio que siguiera a tan tremenda confesión.

–O una culpa muy grande –comenta definitivo Ruiz del Toro llenando de nuevo las copas con un buen tinto de La Rioja al tiempo que llegaba su ya anciano mayordomo a avisar que podíamos pasar al comedor.

Era, como antes dije, Carla, una anécdota que por fuerza me hizo pensar en ti. Pero no sería ahora el momento de entrar en detalles. Además, nos veníamos ocupando del joven lírico que fui. Escúchalo y búrlate si te parece, en el siguiente texto:

Empieza diciembre. Nada importante nos sucede en estos días. Cada vez eres más callada y te ovillas más contra mi silencio. Yo también soy triste. El viejo fuego se ausenta. Se retira a alguna otra parte del cuerpo, a algún lugar blanco, inmaculado, junto al pecho. Ya tus nalgas no son tan importantes. Ahora lo bello en ti son tus ojos, tu trenza, la humedad que te circunda. ¿Por qué no estuvieron siempre las nalgas donde mismo están ahora? Es mejor así. Que solo tengas en la cara los ojos y la boca, el pelo ligeramente caído sobre la frente, tiñéndose de lila, y la trenza rodada entre los senos terminando en un lugar por donde ya casi nunca pasamos. Es junto a ese silencio, a esa nueva presencia, que mi perro se echa a lamer alguna tristeza llegada de no se sabe dónde. Estos son los días de la felicidad. Los días de ser tristes, de estar alegres. Hemos vuelto a ser por fin como aquella tarde del parque. Podemos amarnos sin siquiera rozar nuestros cuerpos. Me imagino que es en días como estos que la gente se suicida. A veces debajo de las sábanas me moriría contigo, blancamente, o a veces mirándote preparar el desayuno descalza sobre la alfombra, apenas con una bata sobre tu cuerpo desnudo. Cierto que tus ojos son ahora más lilas que nunca. Cierto que te me suspendes del cuello y lloras. Cierto que duermes para los pies de la cama con una pierna mía por debajo de tus brazos, sosteniendo tu cabeza. Cierto que dan ganas de irse al cementerio.

Pero estamos en diciembre y en la calle también es triste. Es el rostro del invierno. Como los árboles, la gente se ha deshojado las maneras, el corazón. No hay frío, pero es el invierno. No duelen los huesos, pero duele algo más hondo. Algo muy adentro se congela, se muere. Es el invierno. Es diciembre. Es la muerte. Los meses anteriores se ha hablado de la Nochebuena en Cuba, de la Nochebuena que pasaríamos en Cuba, que íbamos a pasar en Cuba. Se han cursado las invitaciones. Hasta se han peleado algunos. Cada quien ha querido ser el anfitrión. La más grande cena de la historia se ha venido abajo. El mantel se ha quedado blanco, huérfano, pelado, sin nada encima. Vacías las sillas. Los turrones esperando. Los vinos en sus altares. Los animales, gozosos en sus corrales. Es el invierno. El amor se ha deshojado como los árboles. Somos las breves ráfagas del viento helado. Ya no habrá Merry Christmas, Happy New Year,

Jingle Bells, Jingle Bells. Ya no habrá. Ya no lo habrá. Es el invierno. Es diciembre. Es nada. Es el ir cabizbajo con las manos en los bolsillos. Es ir de prisa a ninguna parte. Ser la helada ráfaga, la hoja desprendida, sacar la ropa de la maleta que hiciéramos con amor, con prisa, a fines de octubre. Pero nadie habla de esto. Ninguno de nosotros lo confesaría. Es como descubrir que el retrato del abuelo a quien creíamos marqués era en realidad el del marqués y el abuelo era su caballerizo. Diciembre, pues, es frío. Las palabras, las promesas, con ser muchas, no abrigan. La propaganda en la radio, en la TV no logra hacernos ir más allá de las poses, del cliché. Las informaciones en la prensa, los que llegan de Allá todos los días espantados, sin atreverse a contar lo que han visto y vivido por temor a no ser creídos o por lo que le pueda pasar a la familia que Allá dejaron.

Pero diciembre se agota y es necesario no dejarse morir. Año Nuevo, vida nueva. Las Navidades siempre traen alguna esperanza. Las iglesias se llenan. Los cantos, las campanadas. La ternura del niño Dios. Todo esto lo hace a uno recuperarse, cuidar el traje. Las oraciones, la pureza de la fecha. Todo eso despierta en uno cierta presencia esperanzadora. No es posible dejarse caer. El Señor no lo permitirá. Hemos estado con él en sus días, lo hemos honrado. Lo hemos defendido. El Señor es grande. El Señor está con nosotros. El Señor es nuestro escudo. Y empezamos en nuestras tertulias a pensar en enero. Tímidamente, al principio, con más fuerza después. Pero no. Enero es demasiado temprano. Después de lo pasado, qué puede cambiar un mes más o menos. Lo de Allá es cuestión de semanas. El nuevo presidente no permitirá que esa bofetada en el rostro del Hemisferio Occidental que a grandes pasos sigue incoándose en Cuba prospere, salga de la Isla, se instale en Tierra Firme. No puede permitirlo, eso sería suicidarse. ¡El 24 de febrero! Ese es el nuevo día. El 24 de febrero estaremos en Cuba. Misa de Gracias en la Avenida del Puerto. Salvas. El júbilo. El Floridita. Con razón ha empezado a hablarse de la unificación de las organizaciones. Esa es una buena iniciativa, un buen síntoma. Cierto que en el Escambray hay luchadores, pero por lo que se ha visto no es de pensar que de ahí salga nada definitivo. Aunque, quién sabe. ¡Con las armas que se les están mandando! Pero eso podría demorar años. En fin, esperar a ver qué hace este nuevo presidente. Por lo pronto, es joven.

Dinero no me falta. Todo lo contrario. Puedo mantener el carro, el apartamento y a Carla con sus gastos. Mañana volveré a volar a Cuba. Está siendo peligroso. Cada vez se hace más difícil, pero hay que hacerlo. Quiero dejarle a Carla dinero y acabábamos de gastar seis mil dólares en el viaje a Nueva York para despedir el año. Al fin me deshice de la lancha y Míster Cleo paga bien, pero aquí la vida cuesta cara y Carla gasta, lo de ella es comer en los mejores restaurantes y traer juguetes para el apartamento. Ahora le ha dado por eso. Y a mí me da gusto verla. Mírala con su gatito de peluche hundido en el pecho. Ahora viene al sofá, se tiende junto a mí, suave, blandamente, así como si ella misma por la gracia de un efrit misericordioso de pronto se hubiese convertido en gato. Nos ponemos a jugar, en silencio, como siempre. Hermosa cosa ésta de poder hablarse sin palabras, con los ojos solo, o con las manos, con esa cosa del cariño propia de los ancianos y de los niños.

En uno de esos momentos llega el doctor Ramírez. Yo mismo le he abierto la puerta. Entra con prisa, sin siquiera saludarme. Carla no levanta la cara, sigue con su peluche. El doctor permanece mirándola larga, horriblemente, con unos huecos que alguna vez debieron de tener algo con lo cual mirar. Todo él trae un color cuyo nombre está por inventarse. Comienza a temblar y termina cayendo en el sillón de enfrente. No es él quien cae en el sillón, son unos huesos, un pellejo, un miedo convulsionándose. "Tu madre", es todo lo que dice. "Tu madre", es todo lo que alcanza a decir de nuevo. Y solloza. Tiembla. Se agarra la cabeza con las manos. Se derrumba. Carla despaciosa pone el gatito de peluche sobre la mesa lateral junto al cuadrito con la lámina en colores del Parque Central de La Habana. "Ya sé, se mató", contesta con la mayor tranquilidad, "se suicidó". El viejo asiente con la cabeza. Se ahoga. Tiembla por todos sus agujeros. La cabeza desaparece por entre el sucio cuello de la camisa. El traje lo devora, lo arrastra. Se pierde entre la ropa. Carla vuelve a tomar el gato. Lo acaricia con dulzura, como si el gato hubiese cometido alguna travesura y lo estuviese perdonando. Le da en la carita. Luego sonríe, "Federico, gatito mío". Le da un beso. Otro beso. Se lo mete en el seno dejándolo tapado con el camisón de dormir. Se mueve rítmica, casi imperceptiblemente de un lado a otro, como queriendo dormir a Federico. En esa paz, volviéndose hacia el padre, le pregunta de sopetón:

–¿Y tú, por qué no haces lo mismo?

El viejo no contesta. Ni deja de temblar. Por fin estalla en un largo, contenido, profundo, interminable sollozo. Casi se ahoga. Le falta el aire. La sangre se ha marchado de sus huesos. Se dobla, las manos agarrándose el estómago, la frente sobre las rodillas. Y tiembla. Tiembla.

–¡Vete! ¡Sal de mi vista! –le conmina Carla– ¡No te conozco! –y aprieta las manos sobre el gatito dormido en el pecho.

–¡Carla! –exclamo.

No me he podido contener. Ha sido algo superior a mí. No es sentimentalismo. Es otra cosa. Pero no puedo seguir. Carla canta una nana para dormir al gato Federico que probablemente se ha despertado. Es un largo silencio consumido por el llanto del padre. Mañana, dentro de cien años, ahí estarán todavía sus huesos temblando, estarán sus ahogos dibujados en el asiento, fijados en ese espacio que ahora abandona. Quiere decir algo pero no puede y vuelve a caer fragmentado en el sillón. Un hueso primero, el otro hueso después. El temblor hace chocar los huesos y los oídos se llenan de sordos cascabeles, claves tocadas envueltas en un pañuelo. Está temblando con todo el temblor que trajo y los que aquí le han seguido naciendo. Carla extrae del seno a Federico. Le da un beso. Lo pone en la mesita, mirando hacia la ventana. Va hasta el espejo de la repisa, permanece observándose. Se arregla el pelo detrás de las orejas, considera un imperceptible granito, apenas una espinilla. Desbarata la trenza, con las dos manos se airea el pelo, busca en el bolsillo del camisón, saca el cepillo, le quita algunos pelos, hace con ellos una bolita, la acomoda en la repisa, golpea el cepillo dos o tres veces sobre la palma de su mano, lo sopla, una, dos, tres veces, lo mira de trasluz, se empieza a cepillar, se cepilla larga, despaciosa, infinitamente. Durante años la mano viaja de la cabeza al bajo vientre desgranando el chorro de pelo negro y lustroso. En las puntas el pelo ofrece cierta resistencia algunas veces, entonces Carla hace un leve gesto de dolor, vuelve a hacer bolitas con el pelo adherido al cepillo, las vuelve a colocar en la repisa de modo que no se vuelen. Golpea de nuevo el cepillo sobre la palma de la mano, lo mira a trasluz, lo vuelve a soplar, se vuelve a cepillar. El pelo brilla, brilla. El movimiento del brazo parece infinito, casi mecánico. No es una persona, es un robot quien mueve esa mano. Debiera dar sueño su contemplación, a mí me da otra cosa. En un repentino, furioso acceso, el padre se levanta, corre hacia la puerta. Intento atajarlo pero se me escurre. Carla se vuelve, el cepillo en la derecha, la izquierda empuñando un chorro de pelo.

–¡Déjalo! –ordena en voz baja pero firme–. Tal vez se mate él también.

No la oigo. El viejo tiraba la puerta de la calle justo delante de mí. La abro. Salgo. De un salto evito los escalones. El viejo corre por la acera. Trastabilla. Corre. Tropieza. A un enano que viene con unos paquetes lo esquiva con un codazo. Paquetes, viejo y enano ruedan por el suelo. El enano grita una maldición. Entonces me doy cuenta de que no era un enano. Casi agarro al viejo por el tobillo. Se incorpora. Sigue corriendo. Nunca había visto cosa semejante. Va loco. Yo también me he vuelto loco. Seguir tras él sería locura. Sería también, hacer un papel ridículo. Me detengo. Lo veo volver a trastabillar a mediados de cuadra, caer al suelo. Se incorpora. Sigue. Sigue. Es un viejo animal desenjaulado. Un diablo joven adueñado de unos huesos viejos. Allá al final de la cuadra va al suelo otra vez, de cabeza. Imposible. No sirvo para estas cosas. Doy la vuelta. Subo. Cierro la puerta.

Carla ha vuelto a su antigua posición del sofá, el pelo abierto, revuelto, vedándole la cara, ocultándole las manos que aprietan el gatito contra el pecho. Aparta la cascada de pelo, con ese único ojo al descubierto comenta como si le estuviera explicando a Federico una lección:

–Mamá habría cumplido el día 30 del mes que viene treinta y siete años.

Habla. Habla largamente. Con pausa. Con mucha pausa. Sin emoción. Está hablando de algo que no le importa. De algo que no le ha sucedido a ella, que no tiene nada que ver con ella. Yo le escucho desde el sillón donde estuvo temblando su padre. Decía:

–Un cronista social dijo de ella una vez, en privado y pidiendo que le guardaran el secreto, no recordar en los últimos veinte años, una joven dama tan elegante.

Entrecierra los ojos para recordarla mejor.

–De ella saqué los ojos –y dice después de una pausa larga–: En el Havana Yacht Club la proclamaron por unanimidad "La dama mejor vestida del año". ¿Te acuerdas? –le pregunta a Federico.

Se lo había sacado del seno y lo mantenía apretado contra la cara. Lo besa, le sigue hablando mientras le rasca la barriguita:

–Pobre Federico, como has aprendido cosas que un gatito no debería saber.

Dos grandes lágrimas negras le inundan los ojos. Me mira. Se deja rodar a lo largo del sofá. Abre el camisón, Federico acostado entre los senos. Abre las piernas.

–Ven, síngame.

Así, textual. Y sin darme tiempo a reponerme del estupor.

–Ven a singarme.

Por primera vez, además de sentir el asco, lo he visto. Es un olor carmelita, un paño prieto, una cosa fosforescente, viscosa, algo resbaloso que se anuda a la garganta, que se enrosca, que te hala el estómago hacia arriba. Es algo espantoso. Me vuelvo loco como tu padre. Cuando vengo a darme cuenta he tirado la puerta, la he sentido medio desprenderse de sus goznes y estoy lejos de ti.

Quién sabe cuánto tiempo he manejado sin rumbo, sin memoria. Soy el amante de una víbora, el concubino de un culebro. Tampoco sé por qué, pero he ido hasta casa del padre de Carla. No está. Me han dado la dirección de la funeraria. Primera vez que entro en una. Será el segundo entierro que vea en lo que llevo de vida. O en lo que llevo de muerte. Pues por una u otra razón, antes en La Habana y ahora en Miami, la mayor parte de mi existencia la considero transcurrida no en la vida sino en una especie de muerte moral peor que la muerte biológica. El entierro anterior fue el de aquella desgraciada que arruinó la primera parte de mi vida. Cuando su cadáver salió por la puerta de la funeraria, no era el cadáver de ella, era mi tristeza la que salía, mi adiós a un niño diecisiete años de rodillas. Nacía de nuevo. El cielo era azul, los edificios, altos, el sol luminoso. Había fiesta en los rostros y mañana era, al fin, por fin, una dulce palabra. Mañana. Mi penar anterior, mi penitencia, estaba siendo enterrada en aquella caja.

He querido sin embargo, he necesitado ver el entierro. En la esquina de 23 y M he contado las coronas, he visto a los dolientes y a los que van a presentar respeto subiendo y bajando la amplia escalera. Las damas, de velo o redecilla como si fueran para una iglesia, los caballeros, de lacito o de corbata negra. Los sacerdotes. Los cola de pato negros, brillosos, llegando, regresando. He comprado los periódicos. He leído en cada uno de ellos la esquela, diez, quince, veinte veces las he leído. He esperado a ver salir el sarcófago. He permanecido en la esquina con gafas de sol todo el tiempo alegre, feliz, pero a la vez miedoso de que aquel aristocrático funeral terminase siendo un sueño. Una y otra vez he sacado del bolsillo las esquelas fúnebres recortadas por la mañana de periódico en periódico, las he apretado en la mano, las he contado, las he vuelto a leer. No hay duda. Ha muerto. Por fin ha muerto la hija de puta. Tu vida, Tom, empieza hoy. Empezó esta mañana cuando te enteraste. Hoy es tu primer día en este mundo, acabas de nacer. Al fin, por fin. Por fin comprendió que estaba en el deber de morirse, que nos lo debía. Dios la iluminó. Por fin el amor, o el odio, o la rabia, hicieron lo suyo en su corazón. Lástima que demorara tanto. Lástima que no haya nacido muerta.

Pero has necesitado ver el entierro. Has esperado en la esquina de la funeraria Caballero. Has estado allí para impedir que a última hora el cadáver fuera a arrepentirse. Lo has velado tú también. Lo has esperado. Has visto cómo se lo llevaban con carroza de muchos flecos, cual si fuera el cortejo de una reina. De lejos lo has seguido hasta el cementerio. Te has acercado al panteón después que lo dejaron solo. Habías permanecido por allí cerca, acuclillado detrás de unos ángeles de mármol. Has visto la curia con sus sahumerios y sus cantos profundos siguiendo a Su Eminencia el Cardenal Arteaga de rosario en mano, has visto las amistades. Has visto las lágrimas, los pañuelos, desde donde estás no puedes ver el mármol que se abre, el sarcófago de bronce que desaparece. Público, dolientes y amigos: todos, uno a uno, se han ido. Ya no queda nadie junto al panteón familiar. El lugar permanece desierto. Te asomas al panteón. Nada. Hojas secas, flores pisoteadas. Un extraño olor. Una nada. Ella ha sido enterrada, pero has querido estar seguro. Has querido cerciorarte de que ha quedado bien guardada. Entras en el panteón familiar. La bóveda aún no ha sido sellada. Eso te ha preocupado. ¿Y si de nuevo apareciera mañana en su casa en su eterna silla de ruedas tomando el sol en su terraza? ¡No! Te rebelas. No. Ella está muerta, muerta para siempre. De ese sarcófago no podría salirse ni aunque la hubieran enterrado viva. Todo esto ha sido muy bien hecho por Dios, al fin, caramba. No has podido evitarlo y te has recostado en una de las paredes del panteón dispuesto a descansar, has imaginado el cadáver, aquella cosa guardada, tapada, metida en el nicho por sellar. Sí, qué alivio, casi un suspiro, una sensación de bienestar. Escupes el nicho a la manera de un adiós. Ella no se enterará. No podría enterarse. Pero necesitabas hacerlo. Luego te persignas, pides perdón a las Alturas. Ha sido necesario. Escupes por última vez sobre las rosas pisoteadas y sobre todo lo que quedaba de aquella porquería que ensombreció tu vida durante dieciséis años y cuarenta y tres días y sales a la calle a empezar a vivir. Sales a pie por la avenida central del cementerio, las manos en los bolsillos, silbando y golpeando con el pie piedrecitas dispersas por el asfalto, rosas caídas de las coronas, muertas ellas también. Al llegar al enorme portón te vuelves a mirar hacia atrás. Todo está bien, todo está correcto, y sales a la calle.

Allá atrás han quedado muchas cosas. No es sólo una muerta. Muchos muertos han sido enterrados en ese mismo sarcófago. Pasas balance a tu vida, haces un plan para el siguiente día y te oyes tatareando mientras caminas hacia la calle 23 aquel último día de diciembre de 1955: "Se va el caimán, se va el caimán". Se ha hecho de noche, ya es de noche pero en tu mundo el sol está resplandeciendo como nunca. Una semana después papá se casa con mamá. Una vieja deuda ha sido saldada. Ya no serás distinto en el círculo de tus conocidos. Al fin tú también podrás ser socio del Miramar Yacht Club, al fin tú también saldrás en la crónica social, serás invitado a fiestas de la gran sociedad. Poco a poco –pues esas cosas del pasado dejan secuela–, los que antes por conveniencia o por cortesía te toleraron, tendrán ahora que aceptarte. Al fin a partir de ahora la vida será verdaderamente la vida, no una muerte a medias.

Pensando en esto, te topas con Paco Chavarry, algo mayor que tú, a quien no veías hacía dos años y sólo lo conocías de vista, y a la semana siguiente Paco te acomoda en el auto, para el que ni licencia de conducción tienes todavía, tus dos primeras bombas y está saliendo contigo a enseñarte a ponerlas.

–Tom, hijo mío.

La voz del padre Ángel me saca del ensimismamiento. Acaba de llegar de Cuba. También han nacionalizado las escuelas. Todo Allá ha sido nacionalizado. "La doctrina cristiana ha sido abolida e instaurada la enseñanza comunista y atea", dice. "Imagínate eso: un pueblo tan católico. No obstante, el sentimiento cristiano es muy fuerte y hay buenos católicos luchando en el Escambray y en otros lugares de la Isla. La milicia no da abasto registrando a la gente a la entrada de los cines, de los hoteles y demás lugares públicos buscando petacas incendiarias. No hace tanto, en el Escambray ejecutaron a un maestro que andaba difundiendo su doctrina atea y enemiga de la propiedad privada so pretexto de enseñar a leer. Mira a dónde llegan, hasta a esos trucos acuden. La desvergüenza en La Habana no puede ser mayor: hay que ver a esas desfachatadas milicianas, ofendiendo el sentimiento del Señor con sus pantalones apretados".

Seguía, continuaba informándome, pero ya no le escuchaba. Estaba todo tan cerca. Me había pasado el buen padre la mano sobre el hombro, se compadecía. "Ah, si este lamentable deceso hubiese ocurrido en los grandes días de La Habana...". Reparo, me doy cuenta de que en la funeraria estamos él, yo y tres individuos que beben con disimulo perdidos allá por un rincón. El padre Ángel los señala: "¿Qué os parece?. El senador López Consuegra, Paneque, que fuera ministro en el gobierno de Prío, el doctor Rivas, presidente de una compañía de Seguros". Es verdad, caigo en cuenta entonces. Los conocía de los periódicos. Ahora sin embargo, quién lo diría. Quién sabe cuántos kilos haya perdido López Consuegra. Paneque se ha quedado calvo, Rivas pareciera tener cien años. Y pensar que han sido meses, no siglos, los transcurridos. Sin embargo, cuántos siglos, si lo sabré yo, pueden caber en unas horas. "Limpian pisos", decía el padre Ángel, "lavan platos, en fin". Consuegra es mozo en el hipódromo de Hialeah. "Os digo, hijo mío, que ese diablo de Castro, ese monstruo, no tiene perdón de Dios". Mientras me habla, sigo buscando a tu padre con la vista. En vano. Le pregunto al padre Ángel. El pobre. Andaba por allá atrás, echado con una botella. Ha sido un golpe tan duro. Llegaban en eso tres monjas de tu colegio en La Habana preguntando por ti, Carla, pasan junto al féretro. Sor Sofía comienza a llorar. "Bendito sea el Señor. Castro no paga ni hirviéndole en aceite". Yo también lloro. "Vamos, vamos", me conforta el padre Ángel, pero no puede más y él también se echa a llorar mientras nos vamos apartando del féretro. Señor, "Ten piedad de nosotros".

–No sé si te enteraste –me dice el padre Ángel– los criados que se quedaron con la casa del doctor Ramírez encontraron ayer el escondite en la pared donde estaban las joyas de la familia, entre ellas el famoso collar de perlas negras. Se las entregaron a las autoridades del régimen para ganar méritos. ¿No sabíais? Aquí salió en los periódicos y lo dieron en las noticias.

Pasa la tarde.

Llega la hora del entierro. Empiezan a aparecer delegados de las organizaciones. Me estremezco cuando el breve cortejo enfila la calle 8. Al llegar a la fosa somos unas treinta personas. Tu padre no habla. Sigue borracho, las piernas blandas, la expresión ausente. Yo no sé por qué estoy aquí pero siento que debo estar. Tal vez sea por ocupar el lugar que tú no has querido ocupar o tal vez sea por sentirme asistiendo de nuevo a aquel entierro ocurrido cinco años atrás, cuando todavía no me había metido a conspirador, pero en otra ciudad y en circunstancias distintas; demasiado tarde después de todo. Toda aquella alegría fue estúpida. Al final la muerta me tomó el pelo. No murió pronto. No murió tarde. Se murió el último día de su vida. Lo transcurrido lo demuestra. Cuando en el ´59 vino a reanudarse la vida social habanera, yo había vuelto a ser entre ellos el apestado, solo que en esa oportunidad, por razones de credo político.

El padre Ángel abre el librito de oraciones, se prepara a despedir el duelo. Los de las organizaciones piden que hable Conte. Hace un viento frío que arranca extraños ruidos al deslizarse sobre las losas. El sol no ha salido en todo el día. Una vaga neblina comienza a envolvernos. Se le pregunta a tu padre. Dice que como fueron los de las organizaciones los que hicieron la colecta para pagar el féretro y el entierro, que hable Conte.

Conte sugiere que el padre Ángel también diga unas palabras. La tarde ha seguido poniéndose fría y encapotada. Casi ha anochecido. Los más se han levantado el cuello de la chaqueta. Vistos a distancia, solo se percibirían las siluetas, el ojo encendido de los cigarrillos. Las losas están mojadas, fangosa la tierra de las sepulturas. Los sepultureros se ven apremiantes. Conte se encarama en un túmulo breve un poco a la izquierda del sarcófago cubierto con sus dos banderas. Con el pulgar y el índice, se aprieta la parte superior de la nariz junto a los ojos. Se ha ido irguiendo más, más, casi se confunde con los árboles bajo el frío viento, que en este cementerio, casi un parque, suplen a las altas estatuas que han hecho del cementerio de La Habana una ciudad luctuosa. El rumor de impaciencia del par de empleados se corta en seco cuando Conte rompe a recitar la Plegaria a Dios de Plácido. El aire le ha levantado el pelo, el dolor ha enronquecido su voz. Dice al terminar las estrofas que los agentes del castrocomunismo en Miami han hecho a la muerta objeto de las peores calumnias. Prefiere recordarla Allá, cuando Dios todavía reinaba en Cuba. Se percibe un murmullo entre los delegados. El padre Ángel los manda a callar mientras se persigna pero Conte no se entera. El viento le ha enredado la corbata alrededor del cuello. "La muerte del más humilde emigrado es la muerte de un soldado en campaña", dice. "La mató la lejanía, la mató la vergüenza, la mató el dolor por el calvario impuesto por Moscú a su pueblo. Otro crimen". Avisan entonces que ya debe cerrar el cementerio. Conte jura, para terminar, que el 20 de mayo estaremos en Cuba.

"No es momento de lágrimas ni de pañuelos. Tampoco es momento de decir adiós, si acaso, simplemente, hasta luego. Nos reencontraríamos en el regazo del Señor para decirle: Cristo, vuestra tierra ha sido redimida; para decirle: Cristo, aquí estamos, soldados de la paz y el amor. Los muertos de la patria son héroes, modernos dioses, y yo os digo, patriotas que a los dioses no se les llora, se les aplaude. Por tanto, os pido para este glorioso muerto por la patria un minuto de aplausos".

Todos nos hemos puesto a aplaudir. El padre Ángel comenta que ha sido un muy hermoso discurso. Estoy situado junto a tu padre, Carla. Le he puesto la mano sobre el hombro. Conte viene hasta nosotros con uno de sus abrazos donde cabría el orbe. Casi hemos emprendido la marcha cuando tu padre observa que el féretro sigue sin ser enterrado. Lo meten en el hoyo y salimos del Woodlawn.

Acompaño a tu padre hasta su casa. Lo dejo acostado. El padre Ángel promete pasar a verle siempre que sus menesteres se lo permitan. ¡Está un sacerdote tan ocupado en estos días!

Doy vueltas por las calles. Me siento conmovido. No tengo ganas de regresar al apartamento. Me hundo en una barra. Me doy unos tragos. Llamo a Dominguito. Nada. Mr. Cleo no ha llamado hoy. La muerte de esa mujer me ha dolido. El hielo da vueltas en el vaso. Debajo del estante de las botellas, una gran pecera, el bar en penumbras. Los peces van y vienen entre las algas con sus brillantes colores. Las aguas cambian de color y con ellas, los peces. Una hilera de gente aburrida en las banquetas, doblados sobre el mostrador. En la esquina el barman brillando unas copas. Una suave música. Los peces. Los pececitos. Pienso en aquella otra muerte que me había pasado la vida deseando desde que tuve uso de razón. Muerte al cabo inútil, como esta barra. Y el entierro desfila por la pecera. La muerta es un pez rojo, de anchas aletas; rápida se pega junto al cristal, me hace muecas, se aleja. Regresa. Me saca la lengua. ¡Maldito pez! ¡Y este barman que no lo espanta! Doy con el vaso en la barra. Dejo unos billetes en el mostrador. Alguien me saluda al salir pero ni me entero de quien era. ¡Vaya suerte la mía! ¡Muertos! ¡Basura! Quiero ver a mamá.

La muerta de hoy bien pudiera haber sido mi madre cuyo corazón parece tener asustado a papá de nuevo. Había un pez que se parecía a ella. Todos iban al entierro. No quiero ni pensarlo. Fuera de los veintiún días de aquella vez en que no se sabía si sobreviviría al infarto (en realidad la tuvimos clínicamente muerta, me diría después aquí en Miami el doctor Concheso), no se me había ocurrido que mamá pudiera morir.

Voy a verla, estoy con ella un rato. Estaba meciendo al bebé de Laurita. Papá sigue experimentando con la gasolinera, la venta de accesorios y de aceite más el fregado de autos. Semanas atrás me volvió a ofrecer trabajo, pero a tiempo completo. "Te pongo a la mitad en el negocio", me dice para embullarme. No puedo aceptársela. No se trata de que volando para Míster Cleo gane en un vuelo lo que no ganaría con papá en un mes. Se trata de que Míster Cleo debe estar al darme luz verde para poder unirme a los entrenamientos, parece cosa inminente, a lo mejor dentro de media hora me están llamando, y como no sé si volvería de Allá quiero aprovechar y vivir ahora con Carla toda la eternidad que de morir me perdería. Mamá no ha podido mostrarse más extrañada con mi abrazo. Soy fuego y ella hielo. "¿Te pasa algo?", me pregunta. "¿Te sientes mal?, ¿en qué rollo te has metido? ¿Necesitas dinero?". Mamá no comprende. Nadie me comprende. Odio los peces. Odio los muertos. Me odio yo mismo. Que pase lo que tenga que pasar. Nada me importa.

Llega papá con su ropa engrasada. Se lava. Se saca el overol. Se queda en calzoncillos, listo para entrar en el baño. "¿Qué crees de la situación?, ¿cómo la ves?", le digo por iniciar la charla. "Con tal de que no te enroles en eso de la expedición contra Castro, por mí se puede caer el cielo. En la gasolinera, te decía el otro día, tienes trabajo y la mitad de las utilidades, y para después

212

tengo algunas ideas que nos pueden sacar a flote en un dos por tres. ¿Me estás oyendo?". Papá también se ha vuelto un pez. Hoy el mundo es una pecera. Habrá que salir a inventar otro mundo. De repente esta gente se ha vuelto mi pasado.

Me detengo en las esquinas, camino por las aceras de Collins coloreadas por los neones. No tendría valor para entrar a un cine. Es otra cosa lo que deseo esta noche lloviznosa. Nunca antes me había sentido tan solo. Solo, esa es la palabra. Los peces. Quiero, deseo, necesito estar con Carla. Del fondo del estómago ha saltado el deseo. Ya lo de esta mañana cuando la llegada del padre con la noticia de la madre muerta está olvidado. Cuando los peces te rodean necesitas del último humano. En casa no he encontrado el afecto que fui a buscar. Un beso, una ternura de mamá me hubiera devuelto a la vida. Un chiste del viejo. Muchas cosas en derredor han muerto o están muriendo. Mucho hemos cambiado. Cada día nos quedamos más solos, incluso más sin nosotros mismos. Pero uno no puede permanecer solo y solamente quedas tú, Carla. Tú eres el presente, lo que existe, lo que me toca. Lo demás es el pasado, lo que fue, lo que pudo no haber sido, lo que tal vez estoy inventando. Y voy a buscarte. Corro a buscarte rogando a Dios que estés, pero no estás.

Me tiro en la cama. No quiero pensar. No quiero saber. Quiero solamente quedarme así, con los ojos cerrados. Olvidar los peces. Dejar que las cosas rueden por dentro. Que los peces se ahoguen. Al otro día tampoco has venido. Debo al caer la tarde volar a Cuba. Seguimos concentrados en la zafra. Cuando regreso al apartamento, todavía no has venido. Pasan tres días horribles. Vas a los bares, Tom. Te emborrachas. Como otras veces, porque lo sientes y para que no se diga, participas en los piquetes que van al aeropuerto a recibir a los que vienen de Allá con noticias de los nuevos fusilamientos y de los productos que faltan en los establecimientos y de todo lo que Allá está ocurriendo. Le das la bienvenida a toda esa gente que llega y entre las que siempre te toparás con algún conocido a través del cual volver a sentir la patria distante, y a la vez te darás gusto, con el resto del piquete, en patear las maletas de los que regresan, esos cabrones cubanos emigrados antes del ´59 que van a repatriarse aun cuando casi todos ellos son ya ciudadanos norteamericanos.

Pasas por el Walgreens. Asistes a una reunión de las organizaciones, llegas tarde dando vueltas para encontrar la dirección. Discutes, comes. Pero no vives. Anoche he dormido mal. En el sueño le volvía a disparar al caballito que nos cayó atrás a Sierrita y a mí en los tiempos de la campaña del Cero-3-C. Esta mañana, deambulando, he pasado por la entrada de la iglesia jesuita de la 2 y la 1ra del North East, y no he podido resistir el deseo de entrar. Yo mismo no puedo saber por qué he entrado. Pero he entrado. No lo he podido evitar y entré. ¿Dónde estarás metida, Carla, hija de la gran puta? ¿Dónde? ¿Adónde? ¿Con quién andarás? ¿Qué estarás haciendo en este momento?

Me arrodillo junto a un banco. Rezo un Padrenuestro pero no pasa nada. No puedo estarme tranquilo. Recorro los bancos Una tristeza inmensa me va ganando. Son rostros vagamente familiares de La Habana. La misma gente. Poco a poco te vas sintiendo mejor. Por un segundo las cosas vuelven a estar en su sitio. El cura oficia en su altar. Levanta el cáliz. El monaguillo hace sonar una campanilla. Cabizbajos, las manos juntas, quienes estuvieran de rodillas recibiendo la comunión regresan a su sitio en los bancos. Ha vuelto a ser como antes. Sólo difiere la prestancia de los fieles, la estampa, el peso que ahora tienen. Arriba, el órgano. Dentro de dos minutos la misa terminará. Entonces nos reuniremos en la plaza. El acuerdo está tomado desde la noche anterior. Las damas, de negro, los caballeros con sus brazaletes. Los cirios encendidos. Han sido hechas las filas. A la cabeza van los Caballeros de Colón con un estandarte donde se lee VIVA CRISTO REY. Las Hijas de María llevan el Sagrado Cuerpo de Jesús. Comienzan las estrofas. Los himnos religiosos. Nos ponemos en marcha. Al llegar frente al Palacio Cardenalicio se nos unen grupos bajados por el Santo Ángel. Subimos por Tejadillo, cruzamos la Avenida de las Misiones hasta alcanzar Zulueta. A la altura del Parque Central somos ya una imponente manifestación. Para entonces los cantos religiosos han sido sustituidos por himnos de guerra. El elemento civil pro ruso que nos ve pasar desde las aceras nos abuchea; nos dice, le decimos. Los ómnibus se detienen, los automóviles (máquinas, como Allá le decimos). Pasamos entre la Manzana de Gómez y el Parque Central. La policía no se atreve a intervenir, o parece no atreverse. Sigue el gentío creciendo, tanto el de las aceras como el del público asomado a los balcones. Al llegar frente al Centro Asturiano, extendiéndola de acera a acera, las Hijas de María han sacado una tela que dice: NO QUEREMOS SER RUSOS. Ahí se forma el desparrame. De abajo de la ropa, pro rusos que se nos habían estado uniendo durante la marcha con cara de devotos, sacan palos, sacan manoplas, pedazos de cabilla envueltos en periódico. Se le unen a estos vándalos los que en las aceras, armados también, se fingían espectadores. En uno de ellos reconozco a un policía de la Segunda Estación vestido de civil. Cientos de policías de civil, es de suponerlo, participan en el molote que nos está dando leña, que nos está golpeando como si fuéramos alfombras tendidas al sol. Cuando me recupero, cuando vuelvo en mí todo en derredor es perseguidoras (patrullas les llaman ahora), ambulancias, hasta un carro de bomberos llega. Al parecer hemos perdido la batalla pero los fotógrafos y los camarógrafos han hecho lo que tenían que hacer. En una prensa ya maniatada, aquí mañana esta batalla no habrá sucedido, pero en la prensa extranjera encontrará el eco que le corresponde. Es allá, por otra parte, en el extranjero, donde son útiles estas noticias. Sobre todo en Estados Unidos. Que compruebe Eisenhower el peligro que desde la isla vecina se le cierne. Porque, como los catarros, el mal del oso ruso se pega. Si yo que era rico, lo adquirí, le entregué mi corazón, imagínense entonces, con qué facilidad no lo adquirirían en Latinoamérica cuando al que no tiene empleo y además es analfabeto, le rebajen el alquiler a la mitad o le regalen dos caballerías de tierra o le den una casa o le prometan convertirlo en doctor. Eso había que impedirlo.

El régimen de La Habana aún no lo ha hecho público pero el decreto destinado a hacer de nuestro país un nuevo eslabón del poderoso imperialismo ruso estaba ya firmado y con su cuño seco estampado en espera del momento psicológico para darlo a conocer. Luis Más Martín, hombre de gran inteligencia no obstante ser comunista, poco antes del golpe de estado por televisión que le metiera Castro al presidente Urrutia, me decía algo en lo que tenía toda la razón. Jugábamos una partida de ajedrez y yo, desde el principio de la revolución ganado por el propio Luis, por Alfredo Guevara y por Lionel Soto entre otros amigos comunistas doctos y mucho mayores que yo, veía pasar los días sin que el gobierno acabara de admitir que era rojo y no verde olivo como insistía en hacer creer. Y Luis, gráfico y oracular como siempre, me dice:

–Ocurrirá. Tom. Eso es matemático. Ocurrirá. Hay pasos que no se pueden dar sin que termine ocurriendo lo que en el viejo cuento de "La puntica nada más". Y esos pasos ya fueron dados por Fidel.

La misa en Gesu ha terminado y nada ha sucedido. Nada. No estamos en la Catedral de La Habana. No hay Hijas de María ni hay cirios. Estas de aquí son las frías calles de Miami. Los árboles pelados. El tiempo de las manifestaciones ha pasado. Esta es otra ciudad, otro mundo. Es la última misa de la mañana. A las doce será el Catecismo.

Voy hasta el altar. Me arrodillo. Antes he encendido unas velas. Me concentro. ¿Qué decirte?, o ¿cómo decírtelo? Tú me conoces. Si en la escuela iba a misa era porque me lo exigían. Cuando el domingo andaba en excursiones de los *boy scouts*, estuviera donde estuviera tenía que bajar al pueblo más próximo a oír misa para que me dieran el papelito de asistencia que el lunes me exigirían en la escuela. Siempre así. Formal. Impuesto. Vivíamos bien. Bastaba desear una cosa para obtenerla. Fuimos creciendo indiferentes. Tú eras. Tú existías. Menos cuando mamá pasó Allá por lo del infarto, nunca habíamos tenido que recurrir a ti. Ahora quizá te estés vengando. Es decir, nos estés castigando. Incluso me pregunto si antes de ahora había creído en ti de veras, no obstante hablar contigo todas las mañanas y sentirme escogido por ti en aquella tardecita de San Rafael que cambió mi vida. Incluso me pregunto si ahora mismo creo en ti, puesto que hablamos por la mañana y hasta a medianoche, pero ni respondes mis preguntas esenciales ni entiendo tu juego. Perdóname.

Perdóname. Pero ahora que te necesito no te tengo. Quizá no sea justo que después de tanto olvido en otro tiempo, o de tanta indiferencia, acuda a ti ahora, pero eso es humano. Así nos hiciste, Señor. Así lo has querido. Perdónanos. Perdóname. Pero dinos algo... Danos una señal. ¿Por qué ha pasado todo esto? Si Tú eres, ¿por qué ha sucedido, o por qué lo has dejado suceder? ¿Cómo has podido abandonar a tus criaturas siendo Tú tan sabio? ¿Es esto un castigo? ¿Cuánto mal hemos hecho sin darnos cuenta? Perdóname Señor. No te pongo en duda. O no quiero hacerlo, pero ¿por qué lo has permitido? No quiero ofenderte, pero, hablando de corazón a corazón, y Tú perdóname, no fui yo sino Tú quien hizo las cosas como son. Tú quien instituyó el libre albedrio. ¿Cómo, entonces, y por qué, permitirse que pueda ser trastocado el orden creado por Ti? ¿Qué mundo sería aquel donde no fuera uno mismo el producto de sus propios esfuerzos sobre todo en lo que a su perfección espiritual se refiere? Pero sobre todo, Dios mío, ¿qué será de nosotros ahora? Todo esto es muy complicado. No lo entiendo, pero una cosa sé: no puede ser de ningún modo justo lo que nos está sucediendo. No deberías permitirlo. Oh Señor, perdóname. Perdóname. No pretendo modificar Tu plan. Pero no creo. No creo. No entiendo. Con todo respeto, y Tú, perdóname, hoy no creo en ti.

Salgo de la Iglesia, soy en ese momento el hombre más solo, más desesperado en este mundo. El menos nadie.

Vuelvo al Woodlawn por quinta vez en esos días y ¡al fin! Te encuentro allí, caída, de espaldas, el cuerpo entre dos tumbas. La de tu madre, donde apoyas la cabeza, y la tumba vecina donde descansas las piernas extendidas. Sopla un suave viento y el sol cae suave sobre nosotros. Hojas secas y arena te cubren de pies a cabeza. He llegado tenue, convertido en aire para no hacer ruido. Gracias a Dios, te he encontrado, bendito seas. Me echo a tu lado. Ni una palabra nos decimos. Te tomo las manos. Hablas a intervalos.

–¿Ves? –señalas la tumba abierta a poco más de dos metros de donde estamos–. Me equivoqué por pocas.

Te enroscas la trenza alrededor del cuello, con la punta de la trenza te acaricias la boca. La voz es gruesa, lenta, morada. El viento te sigue revolviendo el pelo, continúa arrastrando breves ramitas secas. Ciertos pájaros se acurrucan entre los árboles. Es un mediodía un tanto frío. El sol apenas calienta. El cementerio está solo. Nadie se muere los domingos. Sigues hablando. Es una exposición muy pausada. Muy serena. Como hablar de la naturaleza, o describir un cuadro. Te rodeo el cuello con el brazo, los dedos metidos por entre las vueltas de la trenza. Colocas una mano en la cruz de madera con las señas de tu madre. Esto me pone a imaginar cosas. Siento que tu madre representa muchos muertos. Un mundo, quizás. Algo muy nuestro que se hunde, que se pierde para siempre.

– ¿Verdad que era linda?

–Mucho.

–Y era mi madre.

Te he apretado contra mi cuerpo. Das en la otra tumba suavemente con la punta del zapato.

–Quién nos lo hubiera dicho.

–Son las cosas.

Una lágrima rodaba por tus mejillas.

–Somos nosotros.

Sigues dando con el pie en la otra tumba.

No sé cuánto tiempo llevamos en silencio, apretados el uno contra el otro, cuerpos y rostros fundidos.

–¿Te había dicho que papá se compró una bomba de gasolina? Él mismo está despachándola ahí con Laurita y Américo de ayudantes.

Después de un millón de años, dices:

–En el fondo, no éramos nadie.

–Yo soy alguien –protesto.

Mi reacción, tan intempestiva, te ha hecho reventar en un oscuro, incontenible llanto. También tu pelo llora. Muchas cosas tuyas se han puesto a llorar. Cuando te calmas la tarde se ha puesto aún más fría. El sol se ha nublado. Cruzan el cielo grandes nubes negras, fofas, muertas. Se despedazan, se integran. La niebla ha estado bajando sobre nuestras cabezas. Casi parece de noche.

–Vámonos –digo.

Tantos días sin ti, estaba loco por tenerte, pero esta vez me niego. Insistes pero me niego.

–Hoy sería una porquería.

–Por eso mismo.

Convencida de que no lograrás convencerme, vuelves a subirte el blúmer. Te sacudes las hojas, la tierra. Llevas un pulóver negro, pantalones negros, los modos negros. Te inclinas, tomas una ramita abandonada, la partes, haces una crucecita, la amarras con un hilo que desprendes del pulóver. La encajas en la tumba de tu madre. Quedas quieta un instante, mirándola. Después me miras, y señalando la tumba, dices: "¡Pellízcame!".

Echamos a andar, sin hablarnos. Tu cabeza caída sobre mi hombro. Caminamos hasta la salida donde tengo el carro.

–Invítame a un trago.

–A dos, pero en casa.

–En casa no.

–En casa.

Conduzco hasta las inmediaciones del aeropuerto y entramos en un bar en Le Jeune, medio desierto. En la otra cabecera de la barra, hay un tipo treintón, de suéter y bufanda gris. El tipo te saluda gentil, con la cabeza. Le devuelves el saludo con amabilidad.

–¿Quién es?

–Un tipo despreciable.

–Nadie lo diría –comento–, viendo la amabilidad que te gastaste con él.

El tipo despreciable hablaba con un medio tiempo. Un arquitecto podrido en dinero pero con muy mala fama. Cuando yo era niño se decía que había matado a la mujer. Nadie lo dudaba pero nunca se lo pudieron probar. Eso fue un escándalo muy sonado. Siempre andaba con actrices famosas y se decía que daba fiestas de perchero.

A medio terminar el primer trago, vas a donde el tipo despreciable. Tomas de su trago. El tipo te presenta al arquitecto. Ríen, parece que te hicieron un chiste, no sé si lo hizo el tipo despreciable o el arquitecto. Regresas presurosa, y me dices:

–Despreciable y todo, pero ese tipo me singa muy bien. Además, la tiene más grande que tú.

Y te encaminas hacia la puerta donde ya el tipo despreciable te aguardaba.

Son cosas que no puedo entender. Un siquiatra me dice por lo claro que te deje, que no tienes arreglo, que eres una adolescente descompuesta. Cuando te pregunto por qué eres así, me hundes en mayores abismos. "Porque soy muy puta", me dices una vez. Para no sufrir he dejado de hacerte preguntas al verte volver; me he propuesto no hacerte caso digas lo que digas. Te sé mía, la que en el cielo hicieron para mí, y con eso me basta.

Lo del tipo despreciable tal vez fuera un cuento para herirme, para alejarme. Tu venganza porque me voy a Cuba. No la única, aunque ninguna como la de aquel viernes negro, cine de horror donde todavía hoy en la distancia de los años sigue estando ahí como una pesadilla que no termina. El día que fui buscándote entre aquel amasijo de cuerpos o de pedazos de cuerpos encandilados por las luces del amanecer destellando en los espejos. Qué dolor, que humillación. Desde entonces no he dejado de seguir despertando, aun estando despierto, caminando entre cuerpos o pedazos de cuerpos por lo general desnudos que no empiezan ni terminan, unos yaciendo boca abajo en un sofá, otros colgando en una ventana con la cabeza y los brazos caídos hacia afuera, otros abiertos sobre un piano, otros encima de mesas, de sofás, en el suelo alfombrado. He muerto y me están haciendo la autopsia. Pero al fin te hallo, y apiadado de ti y de mí, te llevo en brazos a través de aquel laberinto de pantalones y zapatos sin nadie, tetas, sacos, botellas, copas, nalgas, muslos, cuerpos enroscados, dispersos a lo largo y ancho del salón de reluciente piso de mármol, difuminándose de manera que no tengan comienzo ni fin, y nos hundimos en el auto, yo al menos como quien entrara en un río que me limpie de haber visto lo que he visto. Pero ese río no existe.

El sol empieza a salir, muy dorado cuelga bajo entre dos edificios; pero yo sigo viendo tetas, muslos, nalgas, cuerpos enroscados, fuentes con restos de comida, botellas, copas astilladas en el suelo junto a más tetas, más nalgas, más cuerpos enroscados o caídos unos encima de otros, o amontonados bajo una mesa cuya superficie de cristal pareciera no tener fin. Son imágenes que no puedo sacarme de la memoria, que me persiguen mientras me alejo en el automóvil huyendo cual si llevara el producto del atraco a un banco y toda la policía del mundo fuera aullando con sirenas detrás de mí.

Lanzar el automóvil a toda velocidad contra un muro o una pared y matarnos los dos. Fue lo que se me ocurrió al divisar tu trenza entre las piernas velludas de un hombre y una cabeza rubia metida entre tus piernas, espectáculo bien común en la puesta en escena de aquella función de horror en la suntuosa mansión de Coconut Grove muy cerca del jardín botánico. Sin embargo, frené. No te mataría ni me mataría. Eso habría sido demasiada felicidad para ti. Mi venganza sería otra. Al llegar a la casa tomaría mis cosas, ropas y algún libro, la caja de zapatos con mis cartas, metería todo eso en una maleta, y cuando empezaras a suplicar que no me fuera, entonces negociaría.

—Y ahora vas a trabajar para mí.

Pondrías ojos muy grandes, cara de asombro. Sin creerlo aún me oirías decir otra vez: "Sí, ahora vas a ganar dinero para mí. Si otros te tienen, que te tengan en mi beneficio. Que se sepa que soy tu chulo. Y como prueba de que fuera de lo que como negocio me representas no me importas ya; a diario me verás llegar con una distinta para singármela delante de ti".

Necesitaba humillarte. Vengarme. Si te quedaras inválida, si adquirieses una enfermedad incurable, entonces te hubiera tenido entre mis brazos todas las tardes, todos los días, todas las noches, a toda hora, todo el tiempo para mí solo. Habrías estado siempre muy triste y nos habríamos querido mucho. A veces, muchas veces en realidad, lleno de celos por los días pasados o para que me quisieras más, en medio de una de esas caricias tristes de aquellos días en que tan felices éramos, habría vuelto a hacer la maleta, habría tirado la puerta con fuerza dejándote en el piso llorando y pidiéndome que no lo hiciera, que no me fuera, que no te dejara sola en este mundo. Y media hora después, cuando ya no te quedaran lágrimas y te sintieras la mujer más infeliz del planeta, habría regresado, habría abandonado la maleta en el suelo para arrojarme con furia en tus brazos a decirte que te quería, a sentir en el temblor de tu pecho y en el sabor de tus lágrimas la alegría inmensa de saberme perdonado. Tal vez ese mismo día, no lo dudo, en medio del almuerzo o de la cena te habría vuelto a amenazar con irme de la casa, o me habría puesto a recoger mis cosas para que intuyeras que me iba, solo por verte llorar, amor mío, por verte desgraciada y agenciarme de ese modo la reconciliación, la dicha que nos habría compensado después por toda la felicidad que me iba a faltar si no volviera de la guerra.

Fantasías, sin embargo. Fantasías de un iluso. No tengo ese poder contigo. Si me pusiera a hacer la maleta, aplaudirías. Y siento que lloro. Lloro en ese momento, Carla. Tetas y nalgas continúan llenando el mundo de chirridos horribles al correr detrás del auto tratando de darle alcance, pero tú no hablas. Continúas muda, impenetrable, como una estatua muerta, los ojos inflamados, el maquillaje corrido, con algunos trozos de una fina película miserable sobre los labios y las comisuras que el aire de la ventanilla va levantando, haciéndola pedacitos de laca que vuelan.

–Déjame aquí –te oigo decir, iluminada la cara bajo la clara luz de la mañana. Pasábamos en ese momento frente al café de Paula y es lo único que has dicho desde que te saqué del amasijo de gentes enredadas debajo de un piano.

Me oigo decir: "ahora vamos para casa". Después no sé mucho, ocurre lo que no quisiera recordar. He hablado de unos cigarros de mariguana que días atrás encontré en casa y dices que me vaya al carajo, que te denuncie a la policía, que te tengo harta con mis amenazas.

–Déjame aquí. Estoy citada con Gary Cooper.

Todo un tiro en medio del corazón.

–Tú y yo hemos terminado –continúas implacable–. No tenías que haberme ido a buscar.

Parqueo detrás de un Ford azul. Es una operación sencilla pero me ha tomado mil años. Las manos, las piernas me tiemblan. El tiro sigue estallando, rebotando, volviendo a sonar, matando de nuevo. Estoy forcejeando contigo para que no te bajes del automóvil. Ni siquiera aceptabas escucharme cinco minutos. Por fin cedes.

–En la casa –preciso.

–Aquí. Te quedan tres minutos.

–Bien… –empiezo.

Me enredo; me doy asco, pero no me doy asco. Todo está muerto de tu parte y eso es lo tremendo, apelo a un recurso desesperado; te digo que es sífilis lo que tienes, no anemia como te había estado ocultando el médico, y que es mi deber cuidarte, por humanidad. Rompes a reír. Dices que soy más comemierda de lo que ella pensaba, que me odia y desea verme muerto. Cambio de técnica, empiezo a ponerme duro. Hablo como si yo fuera otro o estuviera actuando en una película. Me echo hacia atrás con el cigarrillo (he empezado a fumar en estos últimos días sin ti) y bien estudiada la pose, me oigo al fin decir: "Yo no podría odiarte porque nunca te he amado. Me gustabas, eso sí, y mucho. Pero eso pasó". "Qué bueno, caramba, dices, así podré salir de ti". Y añades: "Lo que no entiendo sin embargo, siendo así las cosas, es tu interés en que vuelva a casa".

–Para demostrártelo con hechos.

–Luego no estás seguro de haberme olvidado. Si lo estuvieras me cerrarías la puerta en la cara, que es la mejor manera de convencer. Yo en cambio te desprecio de veras.

Junto con el tiro en el corazón, este nuevo bocadillo se queda detonando en la memoria. Es una vibración finísima en el aire que paraliza la respiración, congela la lengua. Y me siento yo el culpable, yo el que necesita ser perdonado. No sé por qué lo hago. No lo entiendo. Ni lo he madurado mucho ni sé de dónde ha salido, pero lo digo.

–Quiero que me veas singándome a Yolanda.

Palideces, pero te recuperas. Estás con la cara vuelta hacia la ventanilla pero yo sé que estás con los ojos vidriados. Por fin hablas. Así, como si contigo no fuera.

–¿Me seguirías alojando y manteniendo?

–Llego más lejos. Puedes llevar a la casa a quien quieras. Eso sí, a mí, ni un pelo se te ocurra tocarme.

Pero tu crueldad es más grande que mi necesidad de ti.

–Yo no te llevaré a tantos –dices reflexiva–, por ahora estoy con Gary Cooper nada más. Me siento bien con ese mulato. Dándome por atrás es una estrella.

Es, de nuevo, el mismo tiro pegado en el mismo lugar del corazón. Me levanto de entre mis despojos y digo como si no tuviera mayor importancia el puñal que acabas de clavarme.

–Entonces estás tan metida con él como yo con Yolanda.

Ahí pierdes los estribos. Dices que a Yolanda no la puedo llevar a casa.

–No mientras yo esté.

–Ni tú a Gary Cooper –digo ya más tranquilo, empezando a sentirme dueño de la situación.

–Entonces no hay pacto –y haces por bajarte del auto.

–Está bien –digo loco, fuera de mí, y te suelto la mano para que dejes de gritar pidiendo auxilio. Estás arriba y lo sabes.

–Tampoco te puedes acostar con Margaret.

Echo a andar el automóvil para evitar a los curiosos que te han oído gritar.

–Ni con Yolanda ni con Margaret, ¿me escuchas? Con ninguna de la dos.

–Tú en cambio te seguirías acostando con el negrón ese…

–Esas son las condiciones.

Callo, no sé qué decir. Aparece al final de la calle una valla comercial con dos modelos en trusa y espejuelos para el sol. Tal vez sean parte de los cuerpos de la casa de Coconut Grove de donde acabo de sacarte. Ahora lo mío es llevarte para la casa, acostarte, llenarte de amor. Después te haré cambiar de idea, eliminaré tu rencor.

–¿Aceptado? –me urges.

Nunca supe leer bien en tus ojos y lo hago por primera vez. Un mundo de ideas pasa por mi mente. Tal vez fuera mejor perderte en este momento y que todo pasara como una broma, pero el otro que soy dice sin consideración ninguna para mi persona,

–Aceptado.

Por fin hablas. Han pasado miles de años.

–No puedes tener idea, Tom, de cuánto acabas de descender en mi consideración.

Dices que no tenías ninguna cita con Gary Cooper, que sólo querías acabar tu relación conmigo, por eso anoche al comienzo de la fiesta habías comprometido a Polifemo a telefonearme a primera hora diciéndome el lugar de la fiesta para que te viera allí. Y agregas:

–Pero creo que todavía te apreciaba.

–¡Carla...!

Trato de explicarme pero no oyes, no me oyes. No quieres oírme. Mi mano suelta tu mano sin poderlo evitar, las manos se han soltado solas. Me has estafado y nos hemos perdido.

Cuando más desesperada era mi situación al saberme sin ti para siempre, como lo demuestra esta larga carta escrita en 1965 y cuya mayor parte me saltaré por no decir nada que no haya dicho en las de cuando me dejaste, llega el momento de partir para Centroamérica. Por fin llega ese momento y creo mi deber invitarte a almorzar. Quiero dejarte la llave de la casa con un año de alquiler pagado; mantener al menos ese vínculo. Para hallarte, he tenido que recorrer Miami, trotarlo durante días.

Te noto más pálida que la última vez. Sombras enormes rodean tus ojos, has perdido la alegre tristeza de otros días y ahora eres triste solamente. Te has puesto mustia, has envejecido; toda tú estás muy amarilla. La piel del rostro comienza a marchitarse, una eternidad cansada mira desde el lila de tus ojos y te has vuelto definitivamente vieja y además sonámbula al mirar, al hablar.

Te vas a morir enseguida, y me digo que tal vez no sea la última vez que nos veamos, aunque sé que no nos volveremos a ver, que nos estamos viendo por última vez. Lo digo con dolor y la palabra al decirlo se me vuelve sal ardiente en la boca y algo muy salado me ocurre también en el estómago. No sé lo que digo. Te oigo desde otro lugar, desde donde te veo muy vieja, así como si te hubieran pasado por encima todos los años del mundo.

Es una tarde gris, muy gris –como tenía que ser la hora de nuestro adiós–, en medio de un crepúsculo. Porque esto es un adiós, no una despedida. Después del almuerzo, sin decirnos absolutamente nada, he manejado hasta Key Biscayne y luego sin rumbo fijo hasta llegar a Vizcaya. Caminamos en silencio a paso lento por el parque sin disfrutarlo y llegamos junto al mar. El mar nos salpica y tú al fin, mirando a lo lejos, tal vez mirando nada, rompes el mutismo. Dices algo enigmático al parecer, pero para mí muy claro.

–Siempre lo supe.

–Todo el mundo va –preciso, tratando de restarle importancia–. Es un problema de honor.

–Papá también va –dices al cabo y agregas–: No sé si por honor o por rencor. –Y después de una larga pausa–: Ni si son los dos la misma cosa.

El mar continúa rugiendo a nuestras espaldas, las olas saltan y nos bañan. Estamos mojados y no nos importa. De modo que el agua continúa rompiendo con furia por encima de nosotros y se hace espuma que rueda y regresa al mar.

–Quita esa cara –digo–. Eso está organizado por los americanos.

Te vuelves hacia el mar para mirarlo de frente y me vuelvo contigo. Deberíamos de estar hablando de otras cosas pero no nos atrevemos.

–Pero te podrían matar.

–Te repito que eso está organizado por los americanos.

Te has entristecido y eso me alegra. Me gusta que me quieras así, llorando frente al mar.

–Pero a alguien tienen que matar.

–Tal vez, sí, haya su muertecito –concedo, sabiendo que habrá muchos muertos, que la gente de Allá peleará duro, que no será como por Acá lo pintan quienes no irán–. Pero no veo por qué tenga que ser yo el muerto.

De veras no lo creía. También creía que por muy duro que pelearan los de Allá no tendrían oportunidad. No podrían tenerla. Esa guerra en todo momento estaría bajo la pupila de los americanos.

–Pero ¿y si te matan?

Te cubro con mi chaqueta de invierno, estás temblando y empiezas a toser, el viento te ha enfriado y tiritas.

–Iré con los paracaidistas –le miento por decirle algo–, no tendremos mucho entrenamiento, pero tampoco hará falta.

No contestas. Sugiero buscar un lugar para tomar algo caliente.

–No tengo ganas.

Tampoco aceptas la llave.

Al llegar al downtown, me hago un manojo de nervios. Ha sido una tarde extraña, aunque bella. Nos queda la noche de hoy en Miami y no me he atrevido a explicarme con claridad. Quiero que todo salga de ti.

–Te he querido mucho, Carla –digo al cabo.

–No hablemos de eso –continúas con la cabeza baja. Estás muy triste dentro de tu tristeza cotidiana y eso me entristece y me llena de alegría aunque, tristemente, no sabría decirlo de otro modo.

–Adiós –dices de repente abriendo la portezuela del auto al llegar a la esquina de Flagler y Biscayne. Ya en la acera, te vuelves también de repente, y registras en la cartera con prisa, extraes una foto mía de los días de La Habana donde me veo sacando músculos como Charles Atlas, y me la alargas.

–Adiós –dices de nuevo.

–Carla… –digo sin saber cómo reconquistarte pero confiando en que lo haré al volver de Cuba, aunque de algún modo remoto sé que eso no sucederá y esa es la razón por la que ahora no te he impedido irte, dejarme.

–Toca, Sam –dices como si fueras Ingrid Bergman en Casablanca y te veo desaparecer entre el ruidoso grupo de turistas o miembros de alguna convención que salía del Hotel Mc Allister en ese momento.

Paso por casa, ya con la mochila en el Oldsmobile. Sé por Menéndez, mi padrino, que papá y mamá todavía esperan que no vaya. Piensan que recapacitaré para actuar como una persona mayor. Y mamá, que esa mañana me odia porque me ama según me dice con cara de loca se me cuelga del cuello, me suplica que no lo haga, me ruega que no vaya. A esa hora ni papá ni Laurita están en casa. Están en la gasolinera con Américo. Papá despachando gasolina con Laurita de ayudante y Américo, ayudándoles como tenedor de libros y jefe del fregado de carros. El pobre. Su brazo lisiado en la toma de Santa Clara lo obliga a tener que oír los tiros desde acá. Esta ausencia de papá y Laurita en casa me alegra. La noticia de que me voy ha puesto a mamá muy mal, le he preparado una tisana para los nervios y le he dado cientos de besos, pero no puedo esperar a que se calme, no tengo tiempo, el avión no espera, ni me atrevería a enfrentarme a papá. Y llorando la dejo, asomada a la puerta gritándome que no vaya, que Dios me proteja aunque soy el peor hijo que ha venido a este mundo. La comprendo y comprendo a papá. A fin de impedirme ir, de que no tuviera razones para hacerlo, un mes atrás le vendió a un corredor de bolsa vecino de los Kennedy en Martha´s Vineyard, todas sus propiedades en Cuba, todas, incluidas, las dos casas, la de nosotros y la de antes, la de la llamada esposa legítima. Todo. ¿Vendió, dije? Lo regaló. Todas esas propiedades por menos de la veinteava parte de su valor real. "¿Por qué no esperan a venderlo cuando se constituya el nuevo gobierno?", le digo en vísperas de cometer esa locura. "Porque con lo que Allá se va a formar entonces eso no valdrá nada", contesta. "Nadie compra en un país en guerra". De ahí que mamá se haya sentido tan sorprendida por mi decisión. La pobrecita. Se quedó creyendo que lo hacía por hacerla sufrir. Nada más lejos de mi corazón, y Dios lo sabe. "Viniste al mundo a matarnos, esa ha sido tu misión, esto es peor de lo que nos hacías en La Habana porque ahora no tienes una razón. ¿Es así como le pagas a tu padre el enorme sacrificio de regalar sus bienes como aquel que dice para que no fueras?, ¿hasta cuándo, por Dios, nos vas a odiar?". Con esos clamidos de animal que agoniza me alejo pisando el acelerador hasta el fondo. Los pobres. Pero no quiero tener que volver a huir. Si no vamos ahora, eso de Allá no podrá ser atajado después. Pasará a tierra firme, se comerá la otra América y terminaría agarrándonos en Estados Unidos otra vez, y si no a nosotros, agarrando a nuestros hijos, a nuestros nietos. La morosidad de Eisenhower nos había hecho perder demasiado tiempo. Mientras la Brigada se entrenaba para partir pero no partía, yo aprovechaba quemando caña en Cuba.

En Opalocka, ya para subir al avión, el teléfono. Ahí, en el momento mismo de ir hacia la escalerilla. A papá acababa de darle un infarto. "Lo has matado", me decía mamá. "Lo has matado, malvado, hijo sin conciencia".

También he matado a Carla, de esto me he enterado en el Mercy Hospital casi por casualidad al llegar corriendo a ver a papá. Carla se cortó las venas, lo había hecho a la hora en punto que le había dicho que me iría, y ahí la estoy mirando, aterrado, culpable, rogando por ella, mientras le cambian el suero.

–No podía más. No podía. Era demasiado.

–No hables. No hables.

–Ha sido horrible, horrible... –Te mueres llorando.

Viene la enfermera, Yo también lloro. No tenemos nada que decirnos y lloramos. En efecto, ha sido horrible. Ni siquiera nos quedan palabras como no sea para admitir que ha sido horrible.

–No lo sabía, ahora es cuando me he enterado. Por fortuna no se ha afectado.

Hablas del bebé. Estabas embarazada y no lo sabías.

Estas con la cara vuelta hacia mí, aterrante en tu blancura. Permanezco hundido en la silla junto a la cama, y lloro. La cabeza entre las manos, como cortada por mí mismo, y lloro.

Débilmente te oigo decir:

–Vete. Sé bueno... Hazle caso a la enfermera.

–Todo se va a resolver. Espérame –acierto a decir. Pero no soy yo quien lo dice. Es alguien remoto que busca una esperanza.

Empiezas a quedarte dormida.

239

Veinte manos del otro mundo me toman por los brazos, me sacan de la silla.

Con esa incertidumbre parto. Nada en el fondo, sin embargo, que me haya tomado por sorpresa. Ni siquiera lo de papá.

Lo horrible no había terminado, por el contrario, empezaba. Hablo de lo sucedido con tu padre. Desde el día anterior cuando lo encontramos perdido en la ciénaga no ha dicho ni tengo sed. Ni tal vez pudiera decirlo dado el estado físico en que se halla. Ya por entonces ha perdido los espejuelos y, tal vez, la razón. Ni se espanta los mosquitos, los cabrones mosquitos que llegan en oleadas, zumbando como aviones, a cubrirnos, a sepultarnos, parecidos a capas superpuestas de un tul muy gris. Secar el fusil y brillarlo con la manga de la camisa parece ser todo su interés. Obsesivo ha sido en eso, quedándose atrás se detiene a frotarlo, se sienta en la rama de un mangle a ras del agua y lo brilla. "Por favor, doctor, que nos demora". Pero él no puede darse cuenta de que andamos huyendo, de que traemos al enemigo pisándonos los talones.

Todavía al encontrarlo quedábamos siete de lo que había sido un pelotón bien armado y en plan de combate en el que nadie se rajó. Ahora somos cinco, contado el lastre que nos echáramos encima al incorporarlo a él. Los otros cuatro somos el militar La O, el capellán Ross, el senador y yo que en verdad ya no era yo ni estaba allí. Estaba mi espectro, mi alma, lo que de mi orgullo quedaba. Un fantasma del cual era prisionero y que me obligaba el muy hijo de puta a seguir a través del manglar bajo un sol que deslumbra en el cielo y llamea en las aguas cegando, que me llevaba sin compasión pisando sobre una tierra que se mueve, de un manglar que gira como un trompo y lo cubren lucecitas de colores que parpadean; pero el muy cabrón no cedía. No le importaban mis pies llagados dentro de unas botas que pesaban una tonelada cada una. Como si nada el muy hijo de puta continuaba llevándome con el agua hasta la cintura, cuando no hasta el pecho. Lo hacía unas veces esquivando las raíces del manglar donde se me atoraban los pies, y otras golpeado por las ramas trabadas entre ellas mismas que el viento seguía soltando, sin enterarse el muy cabrón de que en el próximo ramalazo podía perder un ojo, sin pensar el muy hijo de puta en el cocodrilo que nos pudiera salir al paso solo o acompañado de quién sabe cuántos más. Él no pensaba, él no oía. Incapaz de la menor piedad y dispuesto a llegar hasta el final, mi espectro me hacía sentir como si me llevara a cuestas, como si yo fuera un herido o fuera un hacha enarbolada con la que todavía pudiera él matar a alguien, siempre sin escucharme ni darse por enterado del tronar ensordecedor de la metralla a lo lejos, a lo cerca, ajeno el muy hijo de puta al proyectil loco que pudiera alcanzarnos.

No habíamos visto muchos cuerpos caídos, ni antes en lo seco, en las veredas del marabú abiertas por los carboneros del lugar, ni despúes en el agua, pero hemos tropezado con algunos de los nuestros. Caras que me son conocidas, gentes de mi afecto más de uno. Del resto de la Brigada nada sabemos. Anoche temprano, la segunda despúes del desembarco, perdimos el contacto con el mando, después nos quedamos sin municiones, y no cabe la posibilidad de reembarcar porque el barco fue hundido. El Senador habla de una familia en Trinidad que nos ayudaría. Pero no sabemos cómo ni por donde llegar a Trinidad. Ni si eso sería posible. Los caminos están tomados por el enemigo. Aun así, llegar a Trinidad es la esperanza. Esto nos obligará, lo que será imposible, a mantenernos guarecidos en el mangle y esperar ahí comidos por los mosquitos y el hambre, si antes no terminara comiéndonos una familia de cocodrilos, a que pasen los días y los milicianos desalojen la zona.

Con su experiencia de años, es el militar quien al fin se decidirá a proponer lo que en lucha con el cabrón espectro que me poseía venía yo deseando. Le comenta al padre Ross.

–Después de todo, nos hubieran sobrado nudos, con uno bastaba. El que ya sabemos. Pero ni eso se nos permitió. Más sabio que nosotros, El Señor decidió que fueran ellos, y no nosotros, quienes en lo adelante tengan que vivir manchándose de sangre las manos.

–Y el alma –acota el padre Ross.

La O, había sido el primero en verlos.

–¿Qué esperamos?

El Senador se encoge de hombros señalando hacia la derecha con un cansado gesto de asentimiento.

–Ahí están.

Eran los primeros cinco. Salían de entre los macíos cercanos. Salían del agua, de entre las raíces del manglar, las manos aferradas a las metralletas alzadas sobre el pecho. El padre de Carla también los ha visto, y nadie lo hubiera podido impedir. Cuando ya los teníamos a unos cuatro metros, lanza el fusil sin balas sobre el sol hundido en las aguas, y contra lo que indica su estado medio moribundo corre hacia los cinco milicianos aullando, sin que se entienda lo que dice. El rojo rafagazo lo para en seco. Pero llega hasta ellos, se mete entre los cinco con una granada ya sin espoleta (de la que nada sabíamos) y atónitos lo hemos visto volar con los cinco.

Rugiendo detrás de nosotros, oíamos en ese instante varias voces, todas diciendo a la vez:

–¡Riiiiiinndannnnnnnnnnseeee...!

Con este relato del gesto desesperado del padre de Carla que tantas cosas deja adivinar, tenía yo pensado iniciar un cuaderno de episodios sobre la invasión de Bahía de Cochinos. Después desistí. Deseché el proyecto no obstante ser una página de mi vida que me enorgullece. Las derrotas son para contarlas después que se gana la guerra. Y desde el principio se vio que aquello era una guerra perdida. Todo lo calcularon mal esa gente de la CIA. Todo. Hasta la locación. No puedo asegurarlo, pero tengo la impresión de que el lugar perfecto para el desembarco habría sido la Isla de Turiguanó, separada de la ciudad de Morón por una ciénaga, además de por una laguna de aguas blancas que cubre catorce kilómetros entre orilla y orilla. Con la artillería que llevábamos habríamos tenido allí más posibilidades de mantener al enemigo a raya durante las setenta y dos horas de formalidades legales para que Estados Unidos nos reconociera como gobierno provisional y pasara a apoyarnos con su poderío militar según lo previsto por el plan de la CIA. Tenía Turiguanó agua potable, tenía reses, tenía siembras de plátano, tenía una pista para avionetas, se podían crear condiciones para despegar y aterrizar aviones, tenía fondos apropiados para desembarcar caminando con el agua al pecho durante doscientos metros, y aunque entonces no lo sabía, tenía Turiguanó una pequeña población sin armas ni entrenamiento militar. Otro importante detalle en contra de la Ciénaga de Zapata fue el estar a un tiro de piedra de la Sierra del Escambray, montañas donde había decenas de miles de milicianos desde el año anterior combatiendo a las guerrillas contra Castro en la región.

No fue tampoco, como ha seguido diciendo el régimen de La Habana, una guerra de Estados Unidos por apropiarse de Cuba según planes desde los tiempos del presidente Monroe a principios del siglo XIX. Fue una guerra de Estados Unidos y Rusia, y Estados Unidos la perdió. No nosotros los de la Brigada 2506. Nosotros pusimos los muertos. Rusia armó a los de la Isla a tiempo, los armó y entrenó muy bien, y Estados Unidos, subestimando a los rusos, nos lanzó allí de corre corre y sin la preparación militar adecuada. Ni en los estimados acerca de la opinión pública hacia nosotros acertaron los diseñadores de la CIA. Dominguito, caído minutos después de desembarcar según pude saber, divisó en una vereda a un campesino con una carga de carbón al hombro, y emocionado, usando el lenguaje fraterno de sus días de líder sindical bancario corrió a abrazarse con él. "¡Hermano que sufres, he venido a traerte la libertad!". Y el campesino, lo rajó al medio con el machete como quien rajara una yagua.

Por otro lado, quién lo diría, los años enseguida me enseñarían que aquella aparente derrota había sido en realidad nuestra más grande victoria secreta, porque puso en marcha esta portentosa hazaña, este rugiente prodigio que para gloria de Dios y de los cubanos, dondequiera que estén, es Miami. Transformación del espacio cuyo impacto no podía dejar de transformar la pujante comunidad dando lugar a la creación de un nuevo patriciado. Apellidos que nunca antes se oyeran mencionar, Acá hoy tienen tanto o más prestigio que los muy antiguos de Allá. Hemos creado un Nuevo Mundo, una poderosa civilización.

Me llena de orgullo la participación de mi familia en la creación de este Miami donde ningún emigrado cubano llegado después de lo de Bahía de Cochinos ha vuelto a sentirse desamparado. Participación no menos entusiasta, apasionada y generosa que aquella que en días de juventud nos llevó a Bahía de Cochinos. Nunca me parecerá haber hecho bastante para lograr ese sueño puesto que soy, he sido, fui, uno de aquellos irresponsables anteriores al ´59 que creyendo construir una escalera para subir al cielo a darle gracias a Dios, estaban construyendo un cementerio de muertos que todavía no se han enterado de que están muertos, de que les han matado el alma, de que están ya tan muertos que no encontrarían el camino de regreso al mundo de los vivos.

Esta pujanza, Carla, nos ha permitido mantener la Isla a flote después de la desaparición de la URSS, y sobre todo, estar listos para transformarla, para convertirla en pocos años en el emporio que está destinada a ser. No importa que de Allá un día hayamos sido expulsados, sacados a huevazos por la cabeza. No importa. No es que eso se deba olvidar. Tampoco es que se deba perdonar. Se trata de otra cosa, de algo acaso más humano y que suele a veces ser más útil que perdonar. Se trata de comprender.

Al regreso de la prisión en Cuba me dije: el tiempo es oro, y con la responsabilidad por los jimaguas decidí acompañar a papá y aprender de él en los negocios de la familia. Largovidente y afortunado como él solo, ya papá empezaba a meterse con Américo en urbanizaciones y construcción de viviendas, aprovechando su experiencia en esos giros. El apoyo que aquí encontró en las firmas que había representado en su bufete de La Habana, las joyas y el efectivo que logramos sacar de Allá más el milagroso medio millón de dólares que había obtenido en la precipitada venta que a fin de disuadirme de participar en la invasión hiciera de sus propiedades en Cuba, fueron nuestro capital inicial. Fabulosa liquidación de bienes, que tan estúpida me había parecido en su momento. Pues, dicho en términos de billar, cuando Dios te quiere ayudar, hasta por carambola te manda el triunfo. No por gusto se dice que suele escribir derecho con renglones torcidos.

Y de este modo, Carla, trabajando, ocupado en no perder ni un minuto, así como si mi misión en este mundo fuera la de trabajar y luchar por Cuba, para la que me sigo sintiendo escogido por el Señor, he ido llenando ese vacío enorme que al salir del trabajo algunos tomando cerveza o jugando dominó suelen llamar "la vida" y que puede ser un buen pozo para ahogarte en público sin que te vean. No ha terminado ese vacío fúnebre, pero con el transcurso de los años ha cedido, ha ido haciéndose cada vez menos severo, menos tóxico, aunque ha dejado sus marcas.

Nunca volví a ser el apuesto brigadista que viste salir para Allá. No volví a interesarme por el tamaño de mis bíceps y dorsales, así como no volví a preocuparme por mi estatura. Todo suele tener sus compensaciones. El asunto es saber encontrarlas. Me acepté cuando todavía sin haber cumplido los veinticinco años de edad, me quedé más calvo que Yul Brynner. Muy en contra de lo que podría esperarse, ambos hechos me favorecieron. Gentes que antes me hallaran petulante, ahora eran mis amigos. Una muchacha que en La Habana nunca aceptó salir conmigo me comentaba que la calvicie me ha dado peso, profundidad. "Antes me resultabas demasiado bonito", me decía. Y en los negocios, hasta viejos clientes de afamadas empresas desertaban y me elegían. Menos el desastre de no encontrarte al regreso de Cuba, todas mis otras derrotas las he superado.

De Enriqueta no podría quejarme. Es una esposa cómoda. Eficaz en la cama, cuando todavía por joven no me podía negar a las urgencias del ser biológico que soy, pero si la ignoraba, fingía no darse cuenta y esperaba días o semanas a que la solicitara de nuevo. Siempre está de buen humor, siempre tratando de halagar, como quien dice, de caminar sin hacer ruido, de hacerse invisible llegado el caso. Y como somos primos hermanos, desde el principio estuvo claro que no habría hijos. Eso me ha permitido sentir que te he sido fiel. Pues nunca, ni antes, ni después de tu partida te engañé, Carla. Nunca. No hubo otra. Nunca. Salí con Yolanda y Margaret para darte celos, pero de tragos e ir a cenar no pasó. Si pude con Enriqueta fue porque lo de nosotros venía desde niños. Y esa satisfacción, Carla, ese sentirme como una habitación o un libro que al irte cerraras con llave, esa feliz esclavitud, me permitió entregarme a Clara y Rómulo con la devoción de quien además de engendrarlos los hubiera parido.

Han sido mi medicina, la mitad de mi razón para sobrevivir. No podrías ni imaginarte (discúlpame, es un decir) las cosas a las que he tenido que recurrir para protegerlos, para asegurarles el respeto, la consideración social que en mi infancia me faltaron y me convirtieron en un escritor de cartas a mí mismo. De la otra felicidad, la del sueño, esa importante parte que sí me dio mi padre, no creo que puedan quejarse. Con ellos he sido Dartagnan, he sido Batman, el bandolero Manuel García. Hasta un Nautilus a escala construimos los tres en el patio de casa en el '69.

A Rómulo, que venía atendiendo las oficinas de Nueva York y Panamá, acabo de entregarle el mando de todos los negocios, hasta de los del Medio Oriente. Es genial, como mi padre. Hace rato me hizo abuelo. Tengo dos hijos más. Uno de ellos, Heriberto, el hijo de Laurita, a quien quisiera en los negocios de la familia; pero a ese lo que le interesa es la Física. Trabajaba en la NASA, y ahora se ha metido en ese asunto de la realidad aumentada –mundo de ciencia ficción al parecer pero ya ahí en las puertas que tan remotos empieza a hacernos–. Mi otro hijo es Abelardo, de Laurita también, pero éste de su matrimonio con mi gran amigo el ya fallecido Américo. Ese comparte con Rómulo la dirección de la empresa.

Clara es un encanto, pero, artista al fin, todo lo que tiene de buena persona y de excelente pianista, lo tiene de frágil. Ahora anda por Japón con su budismo; meditaciones y retiro a los que regresa cada vez que se divorcia. Esta vez más devastada que nunca. Lastimando su vanidad, Ed (sobre el que una vez te escribí), luego de años engañándola con cuanta perdida se aparecía a verlo tocar, la dejó por una cantante veinte años más joven que él, con la que acaba de casarse con medio Broadway de testigo. Espero que ese dolor y el dineral que por no oírme le ha vuelto a costar este divorcio, la hagan crecer. La pobrecita. Vivo rogando por ella. Es tu retrato. La misma cara. Los mismos ojos. El mismo cuerpo, aunque más alta. Sólo la trenza tirada por delante le faltaría para ser tú de nuevo. Gracias a Dios, en Enriqueta encontraron una madre todo amor y Enriqueta en ellos los hijos que toda mujer desea. Mi vida daría porque esa dicha fuera tuya.

Por si me mataran en Cuba, le hablé a mamá de ti. "Te la encargo", le dije, y le dejé mi libreta de banco con cuarenta mil dólares. Te tenía en esa libreta de banco por primera beneficiaria, y por segunda a mamá, cosa que no sabías pero que te había dejado dicha con Américo para que te presentaras en el banco caso de no volver yo de Cuba.

–Por mucho que te pueda joder –le dije a mamá– dejo a Carla embarazada. Barriga por la que respondo, créeme. Me aseguró que es mío y ella no miente. En cambio, no estoy seguro de lo que pueda hacer con ese embarazo. Al separarnos estaba de muy mal ánimo, y ahora, después del intento suicida, temo que lo vuelva a intentar. Y quiero que nazca esa criatura. Supón que sea lo único que de mí te quede.

Con eso la sacudí. Y ella, ¿qué hace? Te esconde. Te manda para Nueva York a cargo de una prima que tenía contacto con unas monjas en New Jersey. Allá, donde nadie te conoce, luego de comprobar por señas de familia que son míos los bebés, mamá no se cuida de sus iras:

–Qué lástima que no te hayas quedado en el parto.

–Eso tiene arreglo, señora –respondes–. Cuide a los bebés. De desaparecer me encargo yo.

Fue un "desaparecer" que mamá no supo oír. Después no se lo ha perdonado. Ni se lo perdoné yo nunca.

Aunque tampoco creo que tan lapidaria frase decidiera lo que siguió. Eso era ya una decisión tomada por ti. En tu postrera nota eres clara al respecto. Y sin embargo, me digo todavía hoy. Y sin embargo… Si mientras leo tu despedida, amor mío, te fuera dado darme una señal…

New Jersey, 21 de noviembre de 1961

Tom:

Pensarás que además de puta soy una madre desnaturalizada y que no te amo. Todo lo contrario. Eres, con mis bebés, mi cielo y mi tierra, pero no tengo alternativa.

Miami era lo provisional. Desde el principio supe que lo nuestro en Miami no sería "la historia de dos desconocidos que se encuentran en un andén y deciden compartir el viaje sin saber que a uno le iba a tocar irse en otro tren" como hablando de los amores de Rick e Ilsa en sus tiempos de París me decías una noche al salir de ver **Casablanca.** *Ni tú eres Bogart ni yo soy Ingrid. Después de la Invasión cuando todos volvieran a La Habana, yo me quedaría Acá entre desconocidos donde, desconocida yo también, viviría de mis rentas de Allá. Pero el desastre de Bahía de Cochinos lo impidió.*

Todo lo feo que hice en Miami, lo hice por avergonzar a papá y a mamá; y por avergonzarlos, necesitaba odiarme, sentirme sucia, inmunda, a fin de seguir avergonzándolos y avergonzándome. Pero como con cada nueva porquería me sentía más sucia, necesitaba cometer otra peor. Por eso tenía que salir de ti, alejarte, decepcionarte, no verte nunca más.

Con la muerte de papá y mamá muere también mi necesidad de venganza contra ellos, pero no contra mí. No estaba en mis planes ser madre y de todos modos el recuerdo de las cosas que hice terminaría matándome de vergüenza. ¡Ay!, ¡si pudiera borrarlas en la memoria del Miami que las vio sin saber lo que veía! Pero no me lo merezco, mi falta de piedad me cegó.

He sido muy mala, lo sé. Pero no lo seré con mis bebés ni lo seré más contigo que has sido mi amor desde que tengo uso de razón aunque tus groserías me obligaban a guardarme el secreto. Dile a los bebés que morí en el parto para que no vivan avergonzados de ser hijos de una puta que se quitó la vida. Empiecen de nuevo y sean felices.

Si existe el perdón, en el cielo nos veremos.

Carla

Y mira tú los arreglos secretos. Siguiendo el axioma euclidiano de que todos los iguales son iguales entre sí, y cambiados en este caso lugar, género, circunstancias y personajes, tu venganza, es decir las vejaciones a las que aquí en Miami te sometieras, esa venganza no deja de ser una versión de la venganza ejercida contra sí misma por Cuba al sentirse defraudada por aquellos de quienes menos pudo esperarlo. Pensaba eso mientras la seguía comparando con las historias tan surrealistas al parecer que le oyera en Madrid al Flaco Ballester en nuestro reciente encuentro. No podía extrañarme. Pues si alguien creyó en la revolución de 1959 más que yo, estaría mintiendo. Por eso me voy a morir recordándola (y recordándome en ella) en los días iniciales de su locura, de su gran borrachera, cuando incluso llegamos los cubanos a dar por seguro que Jesús visitaba de nuevo la Tierra y nos había hecho el honor de empezar su histórica visita por nuestra Isla.

En cuanto a lo que llamas "el desastre de Bahía de Cochinos", como he dicho en actos de la Brigada y hasta en mis intervenciones en el Congreso, no me regocija pero tampoco lo deploro. Sin esa experiencia, nunca los cubanos de Acá habríamos sabido quiénes éramos en realidad, de cuál colosal materia invisible estábamos hechos. A manera de foto de identidad colectiva, si me la pidieran, propondría la de esta megalópolis, la de esta ultramarina ciudad de Cuba llamada Miami, forjada por nosotros. Eso sí, nadie nos pregunte a cuántas lágrimas por pulgada.

Por todo esto, Carla, hoy al mirar hacia allá atrás y verme regresar de Cuba con la pesadumbre del vencido, sonrío apiadado de mi ingenuidad y, a la vez, agradecido de la CIA. Profundamente agradecido. Soy un hombre sin rencores en ese sentido. Si no fuera cínico —como dije en una entrevista que me hiciera Radio Martí, aunque tuve muchas críticas—, bien pudiera volver a poner en la puerta de mi casa el entusiasmado letrerito de los cubanos de 1959, aquel letrerito que decía: GRACIAS, FIDEL.

En esa enorme piedad mía que no perdona ni olvida pero que comprende sin embargo, tienen igual espacio todos los soñadores de entonces. Decían lo que queríamos escuchar. Pero lo creíamos además porque habíamos sido encantados y vivíamos en un día encantado. Trataré de explicar la profecía que los años me han develado y confirmé en mi conversación con Ballester semanas atrás. Nos habían encantado para que al despertar, decepcionados y llenos de despecho, diéramos con el destino inmenso que Dios nos tenía reservado.

Y entonces, me siento optimista, Carla, me siento satisfecho y no hallo palabras para decirlo aún ahora esperando la muerte. Aunque nada en esa época lo indicara, aunque todo pareciera presagiar lo contrario, he elegido pensar que Dios vivía entonces en Miami, que Dios iba delante de nosotros con su sabiduría y su reloj sin tiempo guiándonos, abriéndonos el camino, conduciéndonos. Que hemos sido un día, en ésta tierra tan grande, los compañeros de Dios, sus vecinos, sus soldados. Lástima que esa misma trama implicara tu suplicio, tu amargura, tu derrota. Tal vez era parte del precio. El precio a pagar por el entonces día de mañana de los de Aquí y del día de mañana de los de Allá cuando al fin despierten. O dejen de castigarse. Dios no regala peces. Enseña a pescar.

En cuanto a tu suicidio, mentiría si te dijera que sigo sin perdonártelo, puesto que nunca has dejado de estar. Es una ausencia-presente de la que vine a tener conciencia o noción cierta noche de Navidad que siendo otra, era sin embargo la misma, mi primera y última noche de Navidad en esta vida. Pues sin ti, Carla, cómo podría ser nunca Navidad. Por eso, tal vez, el niñito Jesús ha seguido ahí, desde 1960, sin volver a nacer.

¿Te acuerdas? Después de hablar por teléfono con Mister Cleo, he vuelto a sentarme a tu lado. Antes te he cubierto de nuevo los hombros con la manta. No quiero que te resfríes, te necesito sana para ir a ver bajar la bola de Times Square como habíamos planeado. En su rincón de la sala, la pequeña lámpara árabe que te compré en el Village cerca de la universidad, alumbrándonos con su parpadeante luz rojiza. "En una noche así podría uno existir siempre", comento.

–Otra Navidad más –suspiras.

Estamos en el sofá, y me entristece el universo de despojos que veo sobre la mesa del comedor. Pedazos de pavo, la cabeza del lechón, los turrones, las copas de vino, las uvas, las manzanas. Ya acostamos a los niños. Por lo general pasan más tiempo con nosotros que con sus padres, pero esta vez, en especial, porque sus padres andan de viaje: Clara por Japón de nuevo, y Rómulo con Américo por Brasil en asuntos de trabajo. Y pienso en otras Navidades, cuando no éramos nadie.

–Tal vez sea esta la última que pasemos aquí.

–El cuento de Navidad de todos los años –respondes desde muy lejos, casi desde la otra vida.

No estoy de acuerdo.

–Mira lo que sucedió después de la caída del muro de Berlín.

Pero no me oyes, y te dejas caer sobre mi pecho, murmurando:

–Siempre lo mismo: pon la media y quita la media.

Todo nos lo seguimos diciendo en voz muy baja, como en un susurro sin reproches. Es nuestro idioma privado. Por fin la vida se ha vuelto para nosotros un algo transparente, un tul detrás del cual se puede ver sin necesidad de hablar. Dices una cosa y yo te la contesto media hora después o no te la contesto nunca y ambos sabemos sin embargo lo que desde el fondo del corazón el otro habría contestado. Siempre fuimos silenciosos, pero nunca como ahora. Recuerdo ciertos versos de otro tiempo y pienso que al fin hemos encontrado la única inmortalidad posible estando vivos, ese punto más alto de la dicha.

Afuera siguen las estrellas, la luna, el frío, el viento en su ventana, el rumor de Dios en el amanecer de Navidad. Una noche azul como esta se haría reconocer incluso en el Polo Norte luego de muchos siglos de andar uno por allá perdido. Hasta el ruido del viento es música esta noche. Es una sensación inefable de que Dios existe, y todo en derredor lo proclama. Perdóname, Dios mío, si alguna vez dudé.

Otras Navidades cruzan por mi mente y todas fueron de tristezas, de penar.

Me preguntabas antes de la llamada de Clara para saber de sus niños, si me preocupaba algo. Desde que prendí la vela y te besé en la frente habíamos quedado en silencio.

–Estaba recordando, viendo pasar la vida de alante para atrás. En algunos aspectos ha sido como si también el futuro hubiera pasado ya. ¿O será que nada es, ni siquiera esta noche maravillosa que tan real parece?

Y dándome ánimos, o para dártelos, añado enseguida:

–¡Quién sabe! A lo mejor nos la llenan esta vez.

Cuando por fin contestas, suenas triste, lejana. Sabes que hablaba de la media. Y me sorprende tu respuesta.

–Y aunque no la llenaran, es nuestro deber seguir poniéndola.

–Te contradices.

–Porque pensé en los niños. Para que tengan una ilusión. Y porque hay cosas que jamás se darán si primero no se sueñan mucho mucho.

Hablabas con un ruido de lágrimas secretas en la voz. Entrabas en una zona prohibida de tu persona.

–Por Dios, Carla.

–No, si no hablo de eso –continúas con la voz trémula y esa demasiada tristeza de quien todo lo ha perdonado–. Incluso, de no haberme hecho papá el aborto, seguiría en desacuerdo con que participes en la

Invasión, no obstante el mucho dolor que eso significaría para nuestro hijo.

Me he abstraído mirando la foto en colores de La Habana donde estoy con raqueta de tenis y pulóver, sacando músculos como Charles Atlas. Los años pasan, me digo. He engordado, desde el principio me he quedado calvo. Los años me han convertido en el abuelo de mí mismo.

–Enseñarlos a soñar –continúas hablando de nuestros nietos–. Que no olviden que hemos venido para regresar.

Nuestro silencio se ha entristecido demasiado. La vela parpadea junto al niñito Jesús en su pesebre; una corriente helada ha entrado por alguna parte y la claridad nocturna entra por la ventana como en un cuadro. La Paz de la Navidad es mayor que nunca. Otro año que se acerca. Voy a cumplir cincuenta y uno. Dan ganas de llorar, de echarse a la calle y correr pidiendo auxilio. ¡Va quedando todo tan atrás! ¡Y teniendo tan poco tiempo por delante!

¡Cuántas veces como me he imaginado erigiendo en La Habana la casa matriz de las empresas de la familia! ¡Tantas veces como me he visto urbanizando y construyendo Allá viviendas para resolver el déficit! Viales. Hoy en blanco como una hoja de papel en blanco, es aquel un país donde el PIB ha de dispararse por encima del 10% durante los primeros años del cambio.

No suelto tu mano en esa penumbra que nos rodea. Todo en torno tiene ese aspecto rojizo de las grandes llamaradas que han muerto pero cuyas brasas queman como si continuaran llameando.

–Nos hemos querido mucho. A pesar de todo.

Lo he dicho exclusivamente para que me escuche Dios en el día del nacimiento de su hijo. Lo sabes y por eso mismo no necesitas contestar.

Ladeas la cabeza para que tu trenza me roce una oreja. Acerco mi frente para que caiga sobre tu hombro. Nada fundamental se ha perdido con la juventud que pasó. Sólo que han sido tiempos que no nos merecíamos.

–¿Estarán tapados los niños? –preguntas como si durmieras.

–Lo están.

Diez minutos antes había ido a mirarlos mientras te veía echar un pestañazo; recordaba sus breves caritas inocentes sobresaliendo del edredón. Viéndolos dormir tan en paz me vino a la mente la idea de que pudiera pasarles algo y temblé de pies a cabeza, me sentí helado, fue un sentimiento terrible, un deseo de morir enseguida para no enterarme o para no saber que algo así podría suceder. Mas, qué alivio. Todavía meses antes, además de este miedo de lo posible había tenido que vivir temiendo el otro, el miedo de lo probable, el terrible miedo de que el peligro ruso lograra extenderse por el continente y nos agarrara de nuevo aquí en USA. Ese peligro, después de la caída del muro de Berlín y de la desaparición de la URSS, era historia, arqueología. Corea del Norte está lejos y en circunstancias tales que nos permite no tomarla en cuenta. China y Viet

266

Nam están haciendo lo suyo en la oscuridad y descalzas para que no se les vea ni se les sienta. Queda Cuba, sí, pero lo de Cuba es cuestión de tiempo. Lo que en la Isla empezó siendo un problema ideológico ha terminado siendo un problema de PIB. Son pruebas que Dios nos pone para fortalecernos. Y lleno de fe en el porvenir seguí mirando dormir a mis nietos.

–¿Otra copa de vino? –propongo muy dispuesto.

Medio amodorrada dices que sí con la cabeza y vuelves a rozar mi vida con tu trenza, Carla. Saltan las lágrimas Tal vez sea el invierno, que siempre me pone triste, remueve sustancias muy hondas, o tal vez sea la penumbra, o el amanecer del Día de Navidad entrando por la ventana. Siento tus manos bajo la manta buscando mis manos y me asalta un temor muy grande de perderte.

Pienso en todo lo pasado y un consejo me gustaría dejarle a los jóvenes: "Destrúyanse bien, redúzcanlo todo a ruinas, a escombros, aniquílense con verdadera furia, y si todavía entonces se aman es porque se han amado de veras. El amor, hijos míos, no se hace con victorias, se hace con culpas".

–Vamos a dormir.

–Cuando se apague la vela.

–Te cogerá dormida.

–Esta noche no. Cuando se apague la vela.

La frase pega en algún lugar recóndito y es una sentencia. Cuando se apague la vela. Esta al menos sabremos cuándo se apagó, pero ¿y la otra? ¡Habrán quedado tantas cosas para después!: códigos, claves que sin duda pensábamos ofrecer para desentrañar la vida, algo que nos valiera una memoria. Pero tal vez la vela no nos dio tiempo. Y todo habría sido un juego oscuro, un caos, inútiles vueltas de noria, una vida, en fin, enteramente borrosa y sin sentido, una pobre vida cuya única misión habría sido arder. Consumirse, su único acto concreto en el tiempo.

Sacándome de aquel ensimismamiento escuchamos al gato de Clara arañando en la ventana para entrar, y con esto he vuelto en mí, maravillado de tus poderes, Carla. Había estado yendo y volviendo de la noche de Navidad de 1960, la más grande de mi vida y la única de hecho como antes he dicho, a esta noche de Navidad de 1990. No era contigo con quien creía haber hablado la mayor parte de las veces, sino con Enriqueta. Tantas veces la has suplantado que no me asombra. Qué felicidad. Pues si algo había temido en los primeros años, cuando todavía no me acostumbraba a tu ausencia, era olvidarte. No lo permitas, Señor, me decía. No lo permitas. No concibo un horror tan grande. Una soledad tan infinita.

Con ternura, con mucha ternura, muy despacio voy haciendo rodar la mano por tu pelo, sacudido por una extraña emoción. Ha sido la repentina seguridad del misterio entrevisto. Y vuelvo a acariciar tu trenza, Carla, convencido de que acabo de hacerte inmortal.

Rafael Alcides
Noviembre de 1964,
febrero y marzo del 2017,
y abril del 2018.

Made in the USA
Columbia, SC
27 October 2018